OJOS
de
gata

Manuel Jesús Soriano

Ojos de gata

OBERON

Primera edición: febrero, 2010

© Manuel Jesús Soriano Pinzón, 2010
© Algaida Editores, 2010
Avda. San Francisco Javier, 22
41018 Sevilla
Teléfono 95 465 23 11. Telefax 95 465 62 54
e-mail: algaida@algaida.es
Composición: Grupo Anaya
ISBN: 978-84-9877-354-5
Depósito legal: M-2.412-2010
Impresión: Huertas, I. G.
Impreso en España-Printed in Spain

A mi hijo Adrián y a mi madre Carmen.

El más difícil no es el primer beso, sino el último.
PAÚL GERALDY

Novela basada en mi relato *Sueños perdidos*.

1

ME GUSTA CAMINAR POR EL PARQUE, SU AIRE ME colma los pulmones de paz, y seductoramente desata en mí todo el amor y la pasión que siento por mi amada.

Me contaba mi abuela que antiguamente los enamorados paseaban bajo la luz de la luna por estos parajes, y que tatuaban sus nombres en los bancos y los árboles para que su amor se solapara al paso del tiempo.

En el viejo apeadero del tren, todo está desierto. Las parejas hace mucho tiempo que dejaron de besarse arropados en las sombras de las acacias. Los tiempos han cambiado y los amores eternos se difuminan en el ocaso de la pasión.

Pero yo me siento de la vieja escuela, amo a mi novia con una pasión que me supera, la deseo más que a nada en el mundo, la quiero con locura, la amo a cada instante de mi vida. Ella es mi savia, mi vida, sin ella no soy nadie. Me he imbuido en cada poro de su piel, y su aroma de néctar de miel me recuerda sus besos, sus caricias. Mi cuerpo hace mágico al suyo, y de la manera más romántica, quiero grabar su nombre junto al mío en el viejo roble que da sombra a los enamorados en los días de esplendoroso sol.

Mi deseo es que permanezcan nuestros nombres grabados en el árbol por toda la eternidad, para que siempre se mantenga viva la llama de nuestro amor. ¡Me gusta tanto este sitio solitario! Por eso vengo casi a diario, para fundirme con la naturaleza y observar embelesado los trazos de nuestros nombres en la gran barriga de nuestro árbol. Pero siempre me llama la atención el viejo que hace suyo el longevo banco que parece otear el río. Siempre me he preguntado qué hará este hombre todos los días con la mirada perdida en la nada, como esperando una respuesta, o tal vez, esperando a alguien. Jamás sus labios se han separado para pronunciar palabra, me intriga su desmedido interés por el viejo roble... ¿quizás también grabó el nombre de su amada en su áspera piel?

La mañana que grabé nuestros nombres en el tronco del viejo árbol, sentí tantas sensaciones que incluso ahora me emociono recordándolo. Todo un futuro de felicidad se desplegaba en mi mente, me acercaba con mi mujer y mis hijos paseando hasta el árbol del amor, y orgulloso les mostraba lo que tallaron mis manos. Quería transmitirles a mis hijos de esa manera, la ternura y el amor que sus padres amasaban en su interior.

Mientras tallaba la tullida madera no pude evitar mirar de soslayo al viejo. Su cara estaba bañada por las lágrimas y no dejaba de mirarme. Me sentí mal, porque sufrí con él sin conocer el mal que nos desconsolaba. Por eso fijé la mirada en las muecas y socorrí la imagen radiante de mi amor para paliar aquella repentina tristeza. ¡Qué feliz se sentirá ella cuando vea esto!, pensé, contagiando mis labios de la alegría que desbordaba mi corazón. Mas la tristeza que acongojaba al viejo parecía tirar de mí como un imán, y en esos momentos en que los demás sufren, yo no puedo evitarlo y una pena invade mi corazón y siento la obligación de ayudarles. No sabía qué podría hacerle daño, pero algo en su vacía mirada me hizo recordar las historias de amor que mi abuela me contaba. Esas historias de amores imposibles y vívidos de amor puro, de pasiones que ya parecen se perdieron en el pasado. Ese amor por el que uno lo entregaba todo y se condenaba a la soledad si lo perdía. No como ahora que se rompe el amor al más mínimo chasquido. Y se pierde el respeto mutuo, base que sustenta la convivencia del amor. Recuerdo que cada noche, cuando la luna acariciaba con su luz las brumas de la oscuridad, mi abuela me narraba esas historias del pasado que a mí me producían verdadero ardor. Y no paraba de interrumpirla, porque no comprendía entonces la esencia del verdadero amor. Hoy me he fortalecido con la convicción del amor único y verdadero, el amor en estado puro, el amor eterno, y esto es lo que anhelo fraguar junto a mi novia. ¡Ah, cuánto amo a mi novia, soy el más feliz de los hombres a su lado! El año que llevamos juntos ha sido fantástico. Todo casa perfectamente a nuestro alrededor: siempre hundimos el más mínimo roce con las risas, tenemos las mismas preferencias, nos encanta recitarnos nuestras poesías. Todo esto contribuye a que el camino de nuestra pasión sea un camino de rosas y nos invite a cada instante a soñar con el día de nuestra boda, y con las noches bañadas por el embrujo del amor. Sí, seremos felices para el resto de nuestros días, es algo que no puede escapar de nuestros corazones, porque lo hemos fundido con la fuerza del amor en estado puro, y nada ni nadie podrá arrebatarnos tanta felicidad.

Adorné nuestros nombres con un corazón, de donde mana nuestro amor. Por eso empleé más tiempo del debido o quizás no, porque por más que apartaba la mirada no podía quitarme de la cabeza aquel hombre que sufría. Descansé bajo la reconfortante sombra del viejo roble, extasiándome de la pureza del aire y del frescor de las lluvias que los últimos días habían coronado la hierba. Me desperecé como si estuviese en mi cama, era tan grande la calma que sometía al parque, que disfrutando tanto de ese momento por un instante sentí un repentino malestar, como si presintiese alguna pérdida. Y allí entre el barro y el agua, semienterrada, asomaba el mango de mi navaja. Me dio un vuelco el corazón, nunca me hubiera perdonado perder el primero de los regalos de mi amor. Pero ya estaba a salvo, aunque algo rozó mis dedos al rescatar mi navaja. Me acuclillé y entre la removida tierra, sin duda por las recientes aguas, se entreveía una caja de madera que parecía bullir de las mismas entrañas del viejo roble. La desenterré con el máximo esmero, pues el estado de la caja así me lo pareció. Después de unos leves forcejeos conseguí desligarla de las raíces que parecían atarla. La caja estaba muy deteriorada a consecuencia del paso del tiempo, y su candado viciado por el óxido. La contemplé por unos instantes preguntándome qué contendría aquel rectángulo de madera roída por las ratas. Bastó un leve impacto contra el árbol, que pareció quejarse porque sus hojas se estremecieron, como cuando las cimbrea el viento, para que la caja se deshiciera en mil y un pedazos. El contenido se volcó sobre la hierba mojada, me acuclillé y recogí unas hojas amarillentas que se liberaron de un raído lazo rojo. A pesar del paso del tiempo la escritura conservaba toda su fuerza. Las sostuve en mis manos enconando en mi corazón una repentina tristeza. Quizás porque me sentí profanador de un legado que seguro no era para mí. Pero quizás el Destino no había sido caprichoso poniéndolas en mis manos, y sus razones tendría. Alcé la mirada buscando al viejo melancólico, pero el banco estaba vacío. Abrigado por la seguridad de que nadie me había observado, me acomodé en el banco y me dispuse a conocer el contenido de aquellas páginas.

Antes de pasar la primera hoja, mi desbocado entusiasmo por descubrir su contenido puso freno a mis manos. Porque, ¿estaba haciendo lo correcto? Aquello seguro no podría ser el mapa de un tesoro, pero si era algo muy personal, estaría usurpando, como dije anteriormente, los sentimientos de una o varias personas. ¿Y si era una confesión o el desvelo de algún suceso del pasado, no sería lo más correcto entregarlo a la policía? Decididamente pasé la primera hoja, y mis temores se fueron desvaneciendo, como la bruma de la mañana empujada por la brisa. Era una carta. Y no sé cómo, pero mis deseos de leerla cegaron mi pudor y dentro de mí ardió una voluptuosa curiosidad, como si la carta fuese para mí. Estaba seguro que aquella lectura me depararía sensaciones nuevas del amor, era un presentimiento que no pude eludir, tal como ocurrió al comenzar a leer las páginas amarillentas.

2

«QUERIDA ÁFRICA:
Espero que estés bien y hayas encontrado lo que deseabas.

Sabes que para mí no es fácil escribir estas letras. No soy de muchas palabras, siempre me ha costado mucho escribirte algún poema, algún mensaje de amor, pero supongo que estarás esperando una explicación de por qué lo hago ahora. Ya sabes que yo siempre hago las cosas mal y a destiempo, cuando ya no tienen remedio, jamás cambiaré, qué le voy a hacer, nací así y moriré de la misma manera. A estas alturas de mi vida sabrás que ya no puedo cambiar, pues soy un hombre controvertido y algo loco. Aunque lleno de buenos sentimientos, pero alejado de la realidad de la vida.

No sé qué esperas de mí, ni tampoco cómo explicártelo todo, pero me dejaré llevar a mi manera y quizás encuentre la forma de hacerlo. No quiero que pienses que soy un desgraciado por tu amor.

Solo sé que te debo toda la ternura que llevo dentro de mí. Algo especial me hiciste sentir, un sentimiento puro me hizo comprender que te amaba de verdad. Algo en mi ser me decía que eras la mujer de mi vida, que siempre estaría a tu lado, que nuestros caminos se cruzarían en algún momento de nuestras vidas.

Eres muy hermosa, aunque ya lo sabes, te lo he dicho miles de veces hasta la saciedad. Siento un amor muy especial por ti mi niña, algo fuera de lo común, muy difícil de explicar, pero fácil de entender.

Mis lágrimas en soledad hacen que mi vida sea un recuerdo constante de las vivencias bebidas por el sorbo de tu amor. Estas páginas que hasta ahora se tornaban níveas, encima de la mesilla de nuestra habitación, con el paso del tiempo serán un legado amarillento y roído por el paso del tiempo. No sé si servirán para algo, creo que no, pero bueno, es lo único que me consuela en estos momentos de frío álgido y patético. Odio mi vida, odio mi corazón, lo odio todo, menos a ti, pero eso ya lo sabes. Eso nunca pasará...

Tu amor sigue dentro de mí con una fuerza inusitada. No quiero que desaparezca de mi vida y si lo hace será porque ya no existo. Sería mejor la muerte que olvidarme de ti. Eso seguro... Tus ojos de gata siguen devorando mi corazón. Imposible olvidarlos, por desgracia para mí...».

3

EL DÍA DE LA BODA FUE COMO SOÑÉ. ESTABAS PRE-
ciosa con tu vestido níveo. El tocado era hermoso,
estabas muy nerviosa cuando bajabas del coche, tu
sonrisa forzada delataba los nervios que llevabas en tu interior. Cogiste el ramo de flores, te acariciaste tu suave
pelo y entraste del brazo de tu padre. Todo estaba decora-
do con muy buen gusto, la alfombra alazana se deslizaba
desde el coche hasta la iglesia, los pétalos de rosas realza-
ban tu bonita cara, las damas acopiaban la cola de tu vestido y tus sobrinos llevaban los anillos y las arras del amor.
Tus ojos de gata irradiaban una belleza inusitada.

Sonreías a la gente que esperaba fuera. Los fotógra-
fos te hacían las primeras fotos de novia. Estabas radiante,
increíblemente bella, posabas con naturalidad, pendiente
de no llegar más tarde de lo acostumbrado, la gente te esperaba sentada en los bancos de la iglesia. Estaba todo
lleno, había muchos invitados, las familias impecables con
sus trajes y peinados para la ocasión, primos lejanos que
solo veías de boda en boda, todo te llenaba de orgullo y te
hacía sentir feliz, era tu gran día, mi dulce amor.

Mientras caminabas, el *Ave María* desplegó su música celestial, el sutil sonido nos invitaba a sentirnos amados y queridos, la iglesia se colmó de amor, amistad y sinceridad, todo era perfecto, todo iba según el guión que habías planeado para tu día. Era nuestra música, la que siempre soñamos para nuestra boda, la tarareábamos juntos una y otra vez, sabíamos que era nuestra canción de amor. Y así has cumplido tu promesa, está sonando en tus oídos, mientras caminas lentamente hacia el altar. Allí está el cura, esperándote para poder empezar el juramento del amor, para oír de tus hermosos labios la palabra mágica y convertirte en esposa para el resto de tus días.

Todo va según tu guión, nada está elegido al azar, todo está milimetrado. Hasta el detalle más insignificante está pensado y resuelto. No querías que nada ni nadie te estropeara tu gran día, por eso caminas firme y orgullosa, colmada de sentimientos dulces y tiernos presagios que te colman de paz y serenidad.

La música te seduce, unas lágrimas brotan de tus ojos de gata y resbalan por tus mejillas rosas, tu corazón reboza felicidad y sencillez. Tus pasos son delicados, dulces y muy suaves, al compás de la balada que resuena en los recovecos de la catedral, rozas el suelo, como una bailarina buscando a su príncipe entre bambalinas y aplausos. Mirabas a la cúpula asiduamente, sonriendo. Yo sabía que en esos momentos te acordabas de tu madre, sabía que te hacía falta en este gran día. Tu boda siempre estará incompleta sin ella, la necesitabas y la añorabas. Mirabas la bóveda de la catedral, porque sabías que estaría observándote, que no se perdería este día por nada del mundo. Se te veía sonriente y dichosa, parecía que estabas en sintonía con ella, que hablabais con el corazón. Tú lucías los pendientes que ella estrenó en su boda, los acariciaste suavemente con las yemas de los dedos, y tu corazón se deshizo en miles de cantos de amor y devoción hacia tu madre. Una suave brisa nos acompañó a todos, una cálida y hermosa brisa; sonreías, tu madre te bendijo y tus pasos se hicieron fuertes y elegantes, ¡qué bonita escena, mi amor! Digna de una película. ¡Qué maravilloso momento! Aquí lo tengo guardado bajo llave, para que jamás nadie me lo arranque del corazón.

Tu sonrisa cambiaba: unas veces era radiante y otras efímera. No parabas de mirar de soslayo, mientras los invitados te agasajaban con elegantes palabras que tú ni oías. Tus trémulas manos casi no podían sostener el elegante ramo de flores que tus tías te habían regalado para tu día, tu gran día...

Cada paso dubitativo que dabas, los invitados los seguían con suspense y emotividad. Todo el mundo quería verte feliz, sobre todo yo...

Suspirabas y el velo se levantaba frugalmente. Se te notaba muy nerviosa pero yo lo veía normal, era el día de tu boda, de la nuestra. La que siempre soñamos.

Todo el mundo se levantó mientras tus pasos temblorosos seguían el camino que te llevaba hacía los baldaquines del altar. Nunca dejaré de amarte, te decía en el silencio de mi soledad. Mi princesa pasaba junto a mí y yo era feliz por ello...

4

CREO QUE LA PRIMERA VEZ QUE TE IMAGINÉ VESTIDA de novia fue aquella noche en la playa, cuando les dijiste a tus padres que dormirías en casa de Ara. Jamás olvidaré esa noche. El sol se escondía, sus últimos rayos le daban un brillo especial a tus ojos de gata: estaban ávidos de amor eterno. Yo estaba locamente enamorado de todo tu ser puro y delicado. Nos pasábamos horas y horas conversando y riendo. Tu sonrisa me deleitaba y hacía que mi corazón cayera en tu embrujo, todo eso era amor. Aquella cena romántica en la playa, llena de placeres aromáticos, mirándonos a los ojos, sin mediar palabra, solamente tu brillo hacía que mi boca se secara y ambicionara besar tus labios. Tú sonreías y yo me derretía por dentro, tus gestos naturales y espontáneos me llegaban muy adentro. Tú me hablabas y yo te escuchaba, tu voz me seducía y tus palabras parecían magia. En ese momento me sentía especial por poder estar a tu lado, por poder compartir mi vida contigo, era el hombre más afortunado de la tierra, me amaba la mujer de mis sueños, eras tú y yo sé que nací para amarte.

Brindamos con champaña, ¿te acuerdas? Las burbujas empaparon tu vestido y nos reímos de la situación, mientras un dulce beso bebió de las burbujas de tus labios y los ahogó de pasión y locura. Te amaba más allá de la razón, eras algo fundamental en mi vida y sabía que jamás podría enamorarme de alguien que no fueras tú.

Paseamos por la playa, bajo el embrujo de la noche, guiados por la luz de la luna y hechizados por las estrellas que nos seguían para ver el amor que llevábamos dentro. Nos sentamos en la arena fina, nos abrazamos mientras observábamos el horizonte. Era realmente precioso, el cielo estaba estrellado, todo estaba iluminado, como nuestro amor. Nos besamos larga y pausadamente, sentíamos la necesidad de amarnos. Fue algo realmente bello, digno de un cuadro, el mejor pintando de la historia. El brillo de tus ojos me decía que me amabas, que no podías estar sin mí, los míos hacía tiempo que te lo habían dicho, así que jugabas con ventaja sobre mí. Después de un dulce paseo, que jamás olvidaré, llegamos al hotel. Fue algo muy hermoso, te besé cada centímetro de tu piel, nunca antes sentí tanta perfección. Estaba cerca del cielo, así lo percibía mi corazón, lo rocé con mis manos, mientras nuestros besos bebieron del amor. Solo quería que el tiempo no pasara para poder amarte en silencio, solo nuestros gritos de placer rompían el silencio de la noche. La luna se colaba por la ventana y veía cómo nuestros cuerpos se amaban en un solo ser. Estaba celosa de nuestro amor. Cabalgamos juntos buscando el jardín de nuestra pasión, hasta que los gritos de amor dejaron nuestros cuerpos fatigados y exhaustos.

Mis manos se entrelazaron con las tuyas, reíamos, y unos besos rítmicos sonaban en el eco de nuestro amor. Todo era perfecto. Te amaba, eras lo mejor que me había pasado en la vida. Era feliz, muy feliz. Te dormiste pegadita a mi piel, mientras yo jugueteaba a enredar en mis dedos tu pelo negro, rizado y hermoso. Era algo mágico, mis lágrimas fluían lentamente por mis mejillas cansadas y abatidas por la fatiga de la noche, pero no podía dejar de observarte, ¡estabas tan bella con los ojos cerrados! Tu sonrisa me llenaba el corazón y te imaginé de blanco, entrando en la iglesia, preciosa como en este día. Hasta los mismos rayos de sol que imaginé estaban presentes en tu boda, parece una locura, pero en ese momento de la noche, sabía que me casaría contigo. Éramos la pareja perfecta y nada ni nadie se interpondría en nuestro camino.

Por la mañana, con el canto de los pajarillos, te despertaste sonriente. Tu mano buscaba mi cuerpo que yacía a tu lado. Las arrugadas sábanas habían sido testigo de nuestro amor. Abriste los ojos y una rosa estaba alojada en tu corazón, sonreíste y me besaste, sentí la ternura en tus besos, eras mi locura, mi dulce y delicado amor. Me decías una y otra vez que me querías, que lo era todo para ti. Seguías besándome con mucha dulzura, nuestros labios no se cansaban, no podíamos dejar de amarnos, era una atracción única y verdadera. Algo mágico que nos unía. Volvimos a fundirnos en un solo ser. Los primeros rayos de sol entraban tímidamente por las rendijas de la persiana. Una ola de amor volvió a inundar aquella habitación de aromas perpetuos y sofisticados. Mis ojos se cerraban cada vez que recibía un beso de tu dulce miel. No podía dejar de amarte. Reíamos y jugábamos al eterno placer, hasta que nuestros cuerpos volvieron a caer rendidos de tanta pasión.

Mientras te duchabas preparé el desayuno que nos habían traído. Tu sonrisa me contagiaba, mientras un sorbo de café despertaba mi cuerpo del fragor de la noche. Nos asomamos al balcón de la habitación. El sol brillaba, como tus ojos, miramos hacia el mar, la brisa refrescaba nuestra pasión, tu suave pelo se movía al son de nuestra canción de amor. Nos abrazamos y miramos hacia el horizonte, callados, sintiendo nuestra respiración. Era un paisaje bello y hermoso, como tú, mi amor. Algo mágico nos poseía, no queríamos que ese momento terminara, tratábamos de parar el tiempo y poder seguir abrazados el resto de nuestros días. El sol seguía brillando, el cielo nos miraba y un color celeste nos brindaba todo su amor. El cantar de los pájaros nos envolvía en un sueño de amor perpetuo. Las gaviotas ondeaban por la mar, buscando el alimento que les diera la vida. Yo lo tenía en mis brazos, acariciándolo y maravillándome del amor que sentía por la mujer de mis sueños. Todo era perfecto en aquel instante de tiempo. El reloj se había parado y solo el ruido del mar nos despertaba de ese hermoso sueño que habíamos vivido en nuestros corazones enamorados. Me deleitaba con tu sonrisa, mi amor. Te veía feliz y muy hermosa. Jamás pensé que te enamorarías de mí, pero allí estabas a mi lado; solos tú y yo, abrazados y unidos por la brisa marina y el revoloteo de los pájaros abrigados por el calor del sol eterno. Mi sonrisa por fin no era efímera, sería eterna y eso me llenaba más aún si cabe de amor por tus besos llenos de pasión y fuerza perpetua. Una lágrima se rendía a tu ser. Solo quería amarte y lo había conseguido, lo demás no importaba, solo estar a tu lado merecía la pena en aquellos momentos. Seguimos abrazados mirando al mar, no nos cansábamos de mimarnos y besarnos. Yo te acariciaba las mejillas y te recogía el pelo que el viento no dejaba de tocarte, era normal, eras tan bella que el viento sentía celos de poder tocarte con mis manos. Mientras te miraba, un suspiro hondo y sereno salió de mi corazón. Tú volviste a sonreír, y yo no pude dejar de besar tus labios, lenta y pausadamente. Mis ojos se cerraban y una sensación de paz y amor entraba en mi cuerpo cada vez que tus labios trasoñados tocaban los míos.

No sé cómo explicártelo con palabras, creo que no puedo. Las sensaciones que mi cuerpo experimentaba no se pueden contar en un papel. Eso lo guardo en mi corazón y cada vez que lo recuerdo, muero de amor por ti.

Con cada beso que me dabas retrocedíamos hasta nuestro lecho que seguía caliente de la batalla de la noche. Nos volvimos a unir en un solo ser. Nunca dejaría de amarte, te repetía, mientras tú me decías que me callara y te besara...

Tus ojos de gata seguían seduciendo mi alma y, por supuesto, mi corazón...

Una música seráfica invadió nuestros corazones mientras te amaba con una pasión inusitada. No podía dejar de besar tus labios idealizados por mi alma. Me dolía el pecho de tantas emociones vividas a tu lado. Era tanta la felicidad que pensé que moriría allí mismo de amor.

Miré de nuevo tus ojos de gata en la fogosidad de nuestro amor y volví a ser feliz...

5

Cuando avanzabas hacia el altar, sonriendo y saludando a los invitados, recordé la primera vez que nos separamos. Duró poco tiempo, pero fue horrible y me sentí muy culpable de todo lo que pasó. Nunca pensé que te irías de mi lado y menos que me abandonaras sin poder pedirte perdón.

Ciertamente mis olvidos y mi falta de atención me salían caros muchas veces. Me sentía abrumado, te marchaste bruscamente, sin dejar que pudiera explicarme. Recogiste tan rápido, que no tuve ni tiempo de disculparme. Me lo tenía merecido, era un bocazas y hablaba más de la cuenta. Te había ofendido, te había hablado muy mal. Mis celos infundados habían sido el prólogo de la pelea. Yo no soy celoso y tú lo sabes, pero no me gustaba que te llamaran a todas horas ciertas personas. Tú decías que tenías tu espacio, que no siempre tenías que estar conmigo. A mí me dolió muchísimo tu contestación, pero no quise discutir contigo, creo que fue lo peor. Decías que nada me importaba, cogiste las maletas y te fuiste. Me dejaste solo y abandonado. Me hundí en nuestra casa, acostado en el sofá y amargado de la vida. Estaba loco de ira, ¿cómo pudiste dejarme así sin más? Salí a la calle a despejarme, aquella lluviosa noche de abril me encontraba asfixiado en casa. Tu recuerdo, tus fotos e incluso el silencio del teléfono me llenaban de amargura y dolor, sin tener noticias de ti. No podía dejar de pensar en ti, en tus labios, en tu dulce mirar, en tu corazón, seguro que estaba destrozado por mi culpa. Yo solo quería lo mejor para ti, pero veo que me equivoqué. No sé qué pasaba en nuestra relación, era una especie de amor y odio, no podíamos estar juntos pero tampoco separados. Sin ti me sentía fuera de lugar, tenía demasiados recuerdos en mi cabeza. Tu perfume estaba impregnado en mi cuerpo, siempre tenía tu aroma en mi ser, no podía escapar de ti, me tenías prisionero, esclavo de tu amor. Era un cordero, esperando que lo degollaran. Lloraba, gemía, estaba manipulado por tu amor. Solamente quería que volvieras a mi lado, solo eso. Durante horas recorrí las calles de Huelva bajo la lluvia sin rumbo fijo. Te busqué por los bares, por los parques, por mi corazón. No tenía sentido todo lo que me estaba ocurriendo, solo el aliento de tu voz me recordaba el daño que te había hecho.

No dejé entrar mis sentimientos en mi corazón y por eso creo que te marchaste. Hundí mis rodillas en el suelo y grité tu nombre con fuerza. Porque pensé que siempre te tendría a mi lado y no lejos de mí como estás ahora. Había aprendido una lección que jamás olvidaría.

Calado hasta los huesos y exhausto de la noche me metí en nuestra cama. Me sentía solo, inútil, incluso mutilado, me faltaba buena parte de tu ser, a lo que se unían el desconcierto de no saber qué hacer sin ti. Mi futuro se perdió en sueños y mi corazón se ahogaba en lamentos de soledad y recuerdos de tiempos mejores a tu lado.

Un ruido me despertó sobresaltado, eras tú, habías vuelto. Estabas muy enojada. Me dijiste todo lo que me reprochabas, pero yo no lo oía, solo veía gesticular tu boca. Estaba contento, te tenía a mi lado de nuevo. Seríamos felices y no te dejaría escapar de nuevo. No sé lo que me estaba diciendo pero seguro que no lo volvería a hacer. Después de un largo monólogo, por fin me dejaste hablar, yo solo te dije que lo sentía mucho y que no volvería a ocurrir. Eso espero, me contestaste y me besaste. Por fin el sufrimiento de esa noche aciaga había terminado. Volvíamos a ser uno solo. La tempestad había pasado, por fin volvía la calma a nuestro hogar.

Te abrazaste a mi cuerpo y mi alma volvió a relajarse. Te amaba de todo corazón, no quería perderte de nuevo. Te besé los labios. Al principio tu reacción fue la esperada, pero lo deseabas igual que yo. Sonreíste y me acariciaste la cara, me besaste y nos abrazamos.

Me sentí un idiota por haberte hecho daño. No entendía por qué lo hice, ni siquiera ahora lo sé, pero sí sabía que eras lo más importante de mi vida y no dejaría que nada ni nadie lo estropeara.

Te dormiste profundamente. Yo no podía cerrar los ojos. Volví a verme naufragando por las calles, buscándote y gritando tu nombre. Me sentía muy solo sin ti. Poco a poco mis párpados se fueron cerrando lentamente y volví a verte en mis sueños. Caminábamos unidos de la mano, lentamente nos acariciábamos y sonreíamos. Por fin mi cuerpo descansaba y se sentía bien.

Desperté y seguías a mi lado. Estaba sudoroso y con fiebre, me estaba pasando factura la mojada de aquella noche oscura. Me senté en la cama y te dibujé. Mis dedos se relajaban al tenerte a mi lado y sentir la magia de tu amor tan cerca de mí. Estabas realmente hermosa, tus labios entreabiertos me llenaban de paz y tus mejillas me envolvían en sentimientos de melancolía y dulzura. Terminé de pintarte exhausto y deshecho, pero había valido la pena. Estabas de nuevo agarrada a mi pincel, no podías salir de él y eso me llenaba de amor. Te abracé fuertemente y me envolví en tu embrujo. Respiré tranquilo, por fin estabas a mi lado. Un beso me despertó sobresaltado, eras tú y yo me alegré de haberlo recibido. Te pedí perdón como unas ochocientas veces seguidas mientras tú siseabas y me ponías los dedos en mi boca para que me callara. Al callarme quitaste los dedos y un beso dulce entró en mi corazón. Me dijiste que no querías estar enfadada conmigo, yo asentí con la cabeza mientras tú me abrazabas y yo no podía dejar de llorar. Me limpiaste las lágrimas de soledad que tenía en mis mejillas y sonreíste. ¡Te amo loquito mío!, me musitaste al oído mientras dabas un salto en la cama y me sacudías con la almohada en la cabeza. Yo me levanté y nos enzarzamos en una pelea de risas y almohadones. Estabas tan bella que no podía dejar de pensar en todo el mal que te había hecho. Sabía a ciencia cierta que sin ti no podría vivir. En algún momento caímos rendidos en la cama e hicimos el amor larga y pausadamente. Nunca dejaré de amarte, te susurré. Eso espero, me dijiste tú, ¿te acuerdas? Fue maravilloso, como todo mis días junto a ti...

6

LA IGLESIA ERA MONUMENTAL. SIEMPRE TE HABÍA GUS-
tado la catedral para casarte. Recuerdo que vinimos
un par de veces a reservar fecha para casarnos. Había muchas parejas en lista de espera para enlazarse, pero
tú me decías que era tu ilusión casarte allí y para mí eso
bastaba. Yo solo quería verte rutilante el resto de mis días,
y sobre todo en la fecha de tu boda no podía llevarte la con-
traria. Me sonreías y sabías que en ese momento haría
cualquier cosa por ti. Me esgrimías, porque conocías la
debilidad que sentía por ti, mi amor.

¿Recuerdas las veces que ensayamos el «Sí, quiero»,
cariño? Nos reíamos mucho, sentados en la playa. Tu bella
cara se estremecía y cerrabas los ojos mientras yo ubicaba
el anillo en tu dedo. El sentido de la vida estaba delante de
mí, yo lo sabía y eso me hacía sentir en paz. Seguíamos
cantando nuestra canción y soñando un futuro con nuestros hijos. Tú querías dos: un niño y una niña, la parejita.
Te gustaba el nombre de Adrián para el niño y no sabías si
ponerle tu nombre a la niña. ¡Eras tan bonita y delicada!,
que la niña sería como tú, eso seguro.

Eras la novia perfecta: hermosa y radiante. No lo supe hasta que te vi entrar en la iglesia. La música de los pájaros solo era para ti. Las nubes del cielo desaparecieron para regalarte un día perfecto, porque al verte tan suntuosa, no podrían dejar de llorar y no querían estropearte ese día, nuestro día. Caminabas pausadamente, acorde con nuestra música: eso me gustaba. Una límpida lágrima recorría el camino de nuestro amor. Te observaba y me entusiasmaba, todo lo tuyo siempre sería mío. Los níveos zapatos calzaban tus trémulos pasos. Un sudor frío recorría tu cuerpo, no querías que nadie estropeara aquel día. Mirabas de soslayo los asientos y te sentías más tranquila, tu corazón descansaba durante unos segundos hasta llegar al altar. El fotógrafo te seguía y plasmaba cada instante de tu caminar hacia el cura que te esperaba. La estrella de la mañana eras tú, yo siempre estaría en un segundo plano. Eso lo sabía y lo tenía asumido. No me importaba, la verdad sea dicha. Era normal, tú eras el sol que resplandecía, la luna que me cobijaba, la mar que me abrazaba, el sendero de mi amor, el viento que me llevaba a lugares insospechados para mí. En definitiva, mi vida entera. Tus ojos de gata se vislumbraban entre el velo que no conseguía tapar esos ojos que me enamoraron la primera vez que los vi. Son un regalo de los dioses, buenos como todo tu ser.

No podía dejar de mirarte mientras mi cabeza seguía rememorando episodios junto a ti...

RECUERDO UN PERIODO EN EL QUE TE ENCONTRABAS muy agobiada por el trabajo y decidimos escapar-nos a un lugar relajado y tranquilo. Pasaríamos un fin de semana cerca de la naturaleza, alejados del bullicio de la ciudad. Solo el canto de los pajarillos sería nuestra única alteración.

Mi amiga Lina poseía una casa en una aldea de Huelva, la idea nos pareció fantástica. Estaba bastante alejada y tenía un paisaje dotado de mucha hermosura. Nos dirigimos a La Zarza: un lugar increíblemente bello. Un poblado donde los mineros con su sudor le habían arrancado las entrañas a la tierra para conseguir su trofeo. Cada piedra, cada roca, tenían algo que relatarte.

Tardamos en llegar y el camino se hizo un poco pesado, pero la espera mereció la pena. Con solo bajarte del coche el aroma a vida te vigorizaba los pulmones. Una paz transitaba por todo aquel maravilloso paraje natural, nuestros corazones refulgían al saber que sería un fin de semana excepcional. Estabas resplandeciente: tu sonrisa te delataba. Dejamos las maletas en la casa y nos fuimos a dar una vuelta por los alrededores. Tú hacías miles de fotos, no querías dejar nada por descubrir. Nuestros ojos estaban embriagados ante tanta beldad, no pensamos jamás que podríamos descubrir tantos prodigios de la naturaleza. Nos sentamos cerca de un lago a contemplar la belleza que habíamos hallado. Se hacía de noche y escuchamos atentamente el canto de los grillos, el inmenso bosque se henchía de paz. Cerramos los párpados y la música nos deleitaba entrando en cada poro de nuestra piel. Continuabas con los ojos cerrados y yo te observaba: estabas divina, entusiasmada. Tu estrés había desaparecido, te sentías la mujer más afortunada del universo y eso me hacía feliz. Estaba orgulloso de ti: habías escapado de tu ansiedad y te habías entregado a la paz de la sierra, del bosque. Necesitabas sentirte una nueva persona y lo estabas consiguiendo: te mostrabas distinta. El fulgor de tus ojos hablaba por sí mismo, toda tú te mostrabas esplendorosa.

Inspirábamos sutilmente la menta del eucalipto. Ese olor penetraba con fuerza en nuestros pulmones, te gustaba mucho aspirarlo intensamente. Reías y gritabas, estabas contenta y eso me gustaba, eras dichosa y muy feliz.

Fuimos dando un paseo hasta la casa, abrazados y alumbrados bajo el halo de la luna. Estaba preciosa, de una redondez inigualable. La brisa de la sierra aparecía y el canto de los grillos nos acompañó durante todo el trayecto.

Fue un fin de semana inolvidable. Volviste a la ciudad radiante, más sublime, si cabe, de lo que eras hasta ese momento. Me decías que ese sería nuestro rincón de amor inmarcesible. Nunca olvidaríamos La Zarza, la llevaríamos perennemente en nuestros corazones.

8

MIENTRAS CAMINABAS HACIA EL ALTAR TU PADRE SE sentía orgulloso. ¡Su hija por fin se casaba! Te apretabas fuerte contra él como protegiéndote por última vez. Dejabas de ser su niña para ser una esposa y depender de otro hombre que no fuera él. Su cara reflejaba la angustia de perderte, sabía que no era para siempre, pero sí que ya jamás sería nada igual. Se encontraba un poco asustado: solo te tenía a ti y no sabía lo que le depararía la vida a partir de ese momento. Pero sabía que eras feliz y eso era lo que más le importaba en la vida. Te veía como un ángel, alguien muy especial que le había ayudado a sobrevivir durante aquellos años después de la muerte de tu madre. Te recordaba de pequeña. Siempre habías sido una niña buena, responsable y educada, constantemente ayudando a tu frágil y delicada madre. Eras una hija ejemplar, llena de vitalidad y amor. Pasaste de la infancia a la madurez en un solo día, cuando falleció tu madre. Tu padre lloraba desconsolado, pero le dijiste que no se preocupara, que siempre cuidarías de él y así lo hiciste. Jamás ha tenido quejas de ti, siempre has estado pendiente de sus necesidades. Sabía que habías sufrido mucho en tu corta edad, pero la recompensa por ser tan buena había llegado y por fin estabas de su brazo. Soñaba con jugar con sus nietos y disfrutar de la vejez al lado de su hija. Una lágrima le caía de emoción, todo estaba saliendo a la perfección. Tu papá respiraba agitadamente. Se le veía nervioso mientras recordaba todo lo bueno de tu alma: te seguiría viendo como a su niña pequeña y no dejaría de amarte nunca. El sudor recorría todo su cuerpo. El amor que sentía por ti convertía en fuerza su flaqueza y te amaba mucho. Solo quería que todo saliera bien. Miraba a un lado y a otro, mientras sonreía a los asistentes a la boda. Su mano temblorosa redundaba en ti y un simple «Tranquilo, papá», le hacía el camino más llevadero hasta el altar. Faltaban pocos metros para cumplir con el primer trámite del día. Tu padre necesitaba reposar. Estaba fatigado y se le notaba. Me preocupé por él, porque parecía que en cualquier momento le podía dar una bajada de tensión. Pero también pensé que tu padre jamás te haría eso. Nunca estropearía tu gran día, nuestro día...

Así que respiré sosegado y esperé ansioso tus últimos pasos, gozoso de alegría. Jamás pensé, y mira que lo soñé miles de veces, que podrías estar tan bella, más aun sin cabe de lo que eras.

M E VINO A LA MENTE LA PRIMERA VEZ QUE HICIMOS el amor. Mis ojos se llenan de emoción al verte caminar el día de tu boda y pensar en el primer momento mágico que tuvimos. ¿Recuerdas nuestra primera vez, mi amor? Yo jamás lo podré olvidar. Llevábamos saliendo unos cuatro meses, yo había alquilado una casa en la playa. Por fin me independizaba y esa noche lo celebraríamos en nuestra casa. Tú habías mentido a tu padre y dormías de nuevo en casa de Ara, nuestra mejor amiga. Ella era dulce como la miel, una persona en la que puedes confiar, llena de amor, bondad y mucho cariño. Cuanto más la recuerdo más la quiero. Tú sonreías mientras nos besábamos en el sofá, aunque nuestro miedo interior era inmenso. Estábamos enamorados de verdad. Solo había pasión en nuestros cuerpos, necesitábamos amarnos una y otra vez. Te besé una y mil veces mientras nuestra ropa caía por toda la casa. Cada rincón de la habitación recibía restos de nuestro amor. Nos amamos hasta la extenuidad. Éramos felices por haber descubierto el amor verdadero. Todo un mundo nuevo de sensaciones se apoderó de nuestros cuerpos, que se sumergieron en el amor más profundo que nadie pueda imaginar. No podía dejar de besarte de decirte que lo eras todo para mí. Tú asentías mientras tu lengua se apoderaba de mi alma y de mi corazón.

Mira que soñé veces con el día que haríamos el amor, pero ni en sueños pensé que podía ser tan intenso y tan maravilloso. Cada vez que lo recuerdo mi cuerpo se llena de sensaciones difíciles de explicar pero fáciles de entender.

Todo era maravilloso, fuera de toda lógica. Nunca podré agradecerte todo lo que me diste y lo que recibí de tu corazón. La magia entró en mi ser y no me di ni cuenta de cómo te colaste dentro de mí. No sé cómo lo hiciste pero te aseguro que nunca saldrás de él, eso tenlo por seguro. Tus ojos se cerraron y tu sonrisa floreció mientras tu respiración se hacía lenta y pausada. Yo no podía dejar de mirarte mientras dormías. Estabas tan hermosa que cerrar los ojos y no verte se convertía en algo imposible de hacer. Cada suspiro que salía de tu cuerpo me embelesaba y me llenaba de paz y amor. Una lágrima furtiva y delicada caía de mis ojos al ver al amor de mi vida tan cerca de mí. Dormías en paz, sin preocupaciones, y eso me alegraba. Sabía que eras feliz, sobre todo a mi lado.

Me tumbé junto a ti y te observé durante toda la noche. Cada palpitar, cada gesto de tu cara me hacía feliz y una sonrisa eterna salía de mis labios a tu corazón.

Estaba totalmente enamorado de ti, como sigo estándolo, mi amor...

SIGO LLORANDO CADA VEZ QUE LO RECUERDO. MIENtras caminas hacia el altar te veo junto a mí, besándome y diciéndome que me amas. Es algo muy difícil de olvidar. Nuestra cama sigue intacta, tal como la dejaste. No puedo dejar de olerte. Esa fragancia inigualable que dejaba tu cuerpo en las sábanas arrugadas sigue muy presente en mí.

Te quedaste dormida profundamente. Cogiste mi mano con una fuerza abismal, no querías que me fuera de tu lado. Necesitabas oír mi respiración cerca de ti. Me halagaba que una belleza como tú me deseara y quisiera compartir tanto amor conmigo. Mis ojos se cerraban lentamente. Al fin el sueño entró en la casa, solamente se escuchaba el sonido de las olas.

El trayecto terminaba, llegabas junto al capellán. Te recogiste el velo para que pudieran verte la cara. ¡Estabas radiante! Un pánico se dejaba vislumbrar en tu rostro mientras mirabas al frente, no querías distracción en aquel momento tan importante para ti. Escuchabas atentamente las palabras del cura. Tus manos temblaban y mirabas a tu padre: él te sonreía y te guiñaba un ojo. Erais cómplices en aquel instante. Repetías las palabras del canónigo. Escuchabas el bisbiseo que había detrás de ti y sabías que la gente estaba impaciente por verte feliz. Yo seguía mirándote con expectación y locura. Jamás habría una prometida igual de bella que tú. Ciertamente, todo transcurría como yo había soñado. Estaba muy feliz, solo con verte me sentía afortunado de haber compartido un trozo de tu vida y mi existencia tenía sentido. Pero seguía afligiéndome el pasado y en ese momento me acordé de la última vez que nos distanciamos. No sabía a ciencia cierta el por qué de mi sufrimiento, pero mi mente deambulaba entre el pasado y el presente. Las lágrimas pasaban por mi rostro como nubes descargando la lluvia en los campos para sobrevivir al paso del tiempo. Todo parecía perfecto en aquel instante, sin embargo, mi corazón seguía ahogándose. No podía remediarlo, algo me derretía por dentro: la cólera de nuestros enfados del pasado llegaba al presente con gotas de desamor eternas. Volví a mirarte y empecé a recordar mi tormento. No quería, la verdad sea dicha, pero al ver tanta felicidad en tu rostro y el mío, pensaba en los malos momentos que habíamos pasado juntos. Sin ningún motivo me volví a hundir en las miserias de mi corazón. Cuando te vi en el altar volvieron mis dudas y mis temores. Tus ojos de gata volvían a martirizarme...

NO FUE LA ÚNICA VEZ QUE EL DESTINO NOS SEPARÓ por un tiempo. Cuando te levantaste el velo en el baldaquín del altar y me mostraste tu sonrisa, un puñal se clavó en mi corazón, recordándome aquella vez hace un año y medio, ¿te acuerdas? Llevabas unos días raros, ausente, parecía que no estabas en este mundo. Me decías que no era nada, que no me preocupara. Estabas un poco acatarrada y eso era todo. Pero en el silencio de la noche te oía ahogar las lágrimas en la almohada. No sabía cómo ayudarte. Me mentías y me rechazabas. Nuestra relación cambió por completo. Ya no sonreías. No eras la misma de antes, te alejabas cada día más de mí. No hacíamos el amor, la pasión se había acabado, solo discutíamos. Te pedía que habláramos pero nunca tenías tiempo para mí. No soportaba la idea de perderte, pero estaba viendo que nuestro amor se hundía en el fango de la desesperación y yo no podía remediarlo.

Una tarde, al llegar a casa del trabajo, abrí la puerta. Descubrí demasiada paz en la jungla en la que se había convertido meses atrás nuestra morada. Miré en la habitación y te habías marchado. Todas tus cosas habían desaparecido por arte de magia. Tu ropa, tus libros, tus sueños junto a mí. Todo había sucumbido al deseo de tu marcha. No habías tenido el valor de enfrentarte a mí: habías sido muy cobarde y te marchabas por la puerta de atrás sin una explicación que darme. Yo creo que por los años que pasamos juntos merecía otro trato y un por qué de tu partida. No sabía si era o no culpable de algo que te había hecho o dicho, así que peor era mi frustración al comprobar que mi corazón se quedaba solo, sin ti, sin tu mirada. Únicamente me habías dejado algunas fotos. Allí estábamos, juntos los dos, riendo y siendo felices, inmortalizados para siempre en un marco cargado de bonitos recuerdos. Era lo único que me quedaba de ti y el olor de tu cuerpo que seguiría perpetuo en mi corazón. Me hundí en el sofá con la mirada perdida en el techo y lloraba de impotencia porque no sabía el motivo de nuestra separación. Te odiaba por haberme dejado de esa manera, pero también te amaba por todo lo hermoso que me habías dado. Cogí unas pastillas para dormir y mis dedos tropezaron con un sobre cerrado para mí. ¡Me habías dejado una carta! Me puse muy nervioso, la ansiedad me impedía abrir el sobre. ¿Qué podrías decirme en aquel papel? No lo sabía, pero pensaba que habías sido muy cobarde. Me dejabas escrito tus miedos, tus inquietudes, tus lloros y tus ruegos y a mí no me dabas la oportunidad de hacerlo. Fuiste muy egoísta y como siempre, solo pensabas en ti. Miré la carta una y otra vez. La angustia recorría todo mi corazón. Ya no había vuelta atrás, así que respiré hondo y pensé en tu amor, otra cosa ya no me quedaba. Te odiaba en aquel momento y te amaba por el recuerdo que tu perfume había dejado en aquella hoja. Un triste folio sería el que me comunicara que no me amabas, que no me deseabas, que la vida a tu lado se había acabado. Todo era patético. No dejaba de lloviznar y eso incrementaba mi desesperación y mi agonía. Saber que solamente tendría tus recuerdos me ahogaban de amargura y de dolor. ¡Maldita lluvia! Siempre aparecía cuando la locura se apoderaba de mí, cuando todo el desengaño entraba en mi corazón. Odiaba esas nubes eternas que se movían lentamente. Sequé mis lágrimas y me concentré en el sobre. Me senté en la cama y empecé a leer lentamente. Esperaba que me dijeras que me amabas, que te perdonara por los días tan malos que me habías hecho pasar, que otra vez lo era todo para ti. Te imaginaba escribiendo esta carta sollozando amargamente, e ilusionándote por encontrarnos y abrazarnos. Ya sabes que yo te perdonaría cualquier cosa, siempre lo había hecho. Sin más dilación abrí el sobre y respiré profundamente. Un escalofrío recorrió mi cuerpo de sensaciones amargas. Algo fatídico habías escrito en esas hojas y aun sin abrirla había sentido las malas vibraciones. El papel se desdobló y unas palabras escritas con dolor y resignación irrumpieron en mi vida para perforar mi corazón. Empezaba mi desdicha con estas palabras...

«Mi querido y dulce amor:
No sé cómo empezar esta carta, ni siquiera sé qué decirte ni qué contarte. Estos meses han sido muy duros para mí y sé que tú también lo has pasado mal por mi cul-

pa. Llevaba algo dentro de mí que me hacía muy desgraciada y cobarde, todo porque no hablé contigo. Lo nuestro no funciona, sé que me quieres con todo el cariño del mundo, pero no es suficiente para mí: yo necesito algo más que palabras. Pido hechos y tú jamás me los has demostrado. Nuestra rutina se ha vuelto un peso demasiado pesado para mí. Necesito otro aliciente en mi vida. No sufras, creo que esto es lo mejor que nos puede pasar. Siento haberme marchado así, sin una explicación, pero sentía vergüenza de mí y de lo que te quería contar. Me he acostado con otro. Sé que es muy duro, pero es así. No sabía cómo decírtelo, porque tú no te mereces esto. La locura de encontrar algo que me llenara, me hizo caer en los brazos de un desconocido que me colmó de halagos y futuros compromisos. Algo de lo que tú jamás has sido capaz, por eso te he dejado. Ya no soy digna de ti ni tú de mí. Pensé que lo mejor, para que no sufrieras más, era escribirte esta carta y no llegaras a escucharlo de mi boca. Hubiera sido un insulto para ti. Yo no te deseo nada malo, al contrario, espero que encuentres a la mujer de tu vida y seas dichoso. Eso me alegrará porque así también seré yo feliz. No me guardes rencor, aunque si es así, me lo merezco, porque he roto tu confianza y nuestra amistad. Solo quiero decirte que el tiempo que estuve contigo fue maravilloso y me has hecho muy feliz, pero yo deseo otras cosas que tú jamás podrás darme. Lo siento mi amor, compréndelo, sé que es difícil, pero es lo mejor para los dos. Sabes que lo nuestro terminó hace mucho tiempo. Yo no podía amarte como tú me amabas a mí y eso te hacía daño. No podía corresponderte de igual manera y eso era injusto, porque ya no me colmabas, como a mí me hubiese gustado que lo hicieras. Siempre te llevaré en mi corazón, eso sin duda. Siento el daño que te he hecho. No me busques, te lo pido por favor, no quiero verte sufrir. Dejemos pasar el tiempo y verás como es lo mejor para los dos.

Sé que me amas, yo también te amé con locura pero eso no lo es todo, al menos para mí. Necesito algo más y sé que tú no me lo puedes dar.

Si me amas de verdad y quieres mi felicidad, déjame volar y ser feliz con otra persona. Sé que es difícil de entender, pero el tiempo nos dará la razón.

Perdóname algún día y ojalá seas feliz porque te lo mereces. No hay mejor persona que tú, aunque ya no te ame como yo quisiera.

Cuídate mi amor, nunca dejaré de amarte, aunque sea a mi manera.

Gracias por todo...»

Me temblaban las manos, ¿cómo me pudiste hacer eso? No me lo podía creer. Destrocé todo lo que estaba a mi alcance, estaba fuera de mí. Me habías dejado por otro. Tus palabras eran alfileres que agujereaban mi corazón. La rabia que llevaba dentro no me dejaba otra opción. Me puse un cuchillo en la garganta y apreté. La sangre corrió por mi cuello, me asusté. Era demasiado cobarde para quitarme la vida, no era un ganador en nada.

Tenías razón, mi amor: era un solitario, un temeroso de los compromisos. Pero a pesar de todo yo quería volver contigo, para que me dieras una última oportunidad. Necesitaba estar a tu lado, no sabía qué hacer en esos momentos. ¿Buscarte, para qué? Ya habías tomado una decisión por los dos. Siempre lo habías hecho así. Me senté en nuestro sofá con la botella de coñac en la mano y empecé a beber para olvidarte. Un instinto me hizo recoger tu foto rota del suelo y limpiarle los cristales que dañaban tu bella cara. Te limpié con mucho cuidado, sin hacerte daño. Mis lágrimas bañaban tu cara, mientras bebía de la botella sin control, hasta sentirme tan ebrio que te vi de nuevo a mi lado sentada. Susurrándome que te perdonara, que volvías a mi lado. Yo sonreía y mis párpados se cerraban lentamente. El cansancio y la tremenda ingestión de alcohol, me tentaron para amarte en mis sueños. Solo anhelaba que me besaras, que me amaras. No deseaba volver a rehacer mi vida como tú querías. Soñé con tu boca, con tu pelo al viento, con tus cicatrices de amor curadas y selladas por mis besos y mis caricias. Todo volvía a ser normal. Todo salía a pedir de boca, hasta que el cruel despertador sonó y me devolvió a la mísera realidad de vivir sin tu presencia. Deambulé toda la mañana sin saber dónde estabas, dónde podría encontrarte. Cada vez que cerraba los ojos te veía desnuda encima de otro hombre, recibiendo los besos que me pertenecían, adueñándose de tu boca, de la que me enamoré locamente. Te fuiste con un impostor que te había mentido, y solo quería poseerte. Te había engañado y caíste en sus garras.

Le besabas como a mí, te entregabas en cuerpo y alma. ¡Cuántas veces intenté hablar contigo! Fue inútil. Te sentías avergonzada de tu engaño, aunque tratabas de disculparte pasándome a mí parte de la culpa. Tampoco hice yo nada por negar mi responsabilidad en tus actos.

Me decías que no querías nada con aquel hombre, ni siquiera te gustaba, pero no te sentías capaz de seguir conmigo. Cogiste tus maletas y yo me quedé desolado. Abatido por el destino que me tocaba vivir. Lloraba de impotencia porque no hice nada para que te quedaras. Cualquier cosa hubiera sido mejor que el silencio que se quedó atrapado en los rincones de nuestra casa. Tu olor sigue presente en todas partes. Miro el cuadro que te dibujé. Es el mejor trabajo de mi vida. Te siento viva, jamás podré esbozar algo tan hermoso, ni siquiera dibujaré más. No tiene sentido hacerlo, para qué si el artista no puede sacar más jugo de sus pinceles. Yo lo saqué todo para ti, para mí se acabó la pintura. Me dedicaré a plasmar en unos folios mis sentimientos hacia tu corazón. Sé que no los leerás, pero pienso que algún día volverás y te dejaré leer el libro que siempre deseaste, el de nuestro amor. ¡Tengo tantos recuerdos que contar, tantas sensaciones y caricias que plasmar en el papel! Un sueño perdido, eso eres tú para mí. Algo prohibido al pasar los años, una ausencia que marcará mi destino de por vida. Mi bolígrafo y yo seremos testigos de la desolación que entrará en esta casa a partir de tu ausencia. Sé que olvidarte es imposible, y tendré que aprender a vivir sin el aroma de tu esencia. Solo me queda llorar y compadecerme de mi desgracia. En ese mismo instante tan fatídico, me acordé de aquella persona que me suplantó, que te hizo creer que era yo, que te haría feliz si te alejabas de mí.

Por desgracia para mí tú le creíste y te dejaste poseer por otro cuerpo que no era el mío, por otros besos que no serían como los míos, ya que el sabor de tu boca lo tenía yo grabado en mi corazón. Intenté que me explicaras el sentido de dejarme a mí e irte con un impostor, pero él se dio cuenta y no tuvo las agallas de enfrentarse a mí, mandó a sus secuaces para dejarme una propina de golpes y magulladuras que solo el tiempo curaría. Lo que nunca sanaría sería el amor perdido que tendría que soportar sin tus besos, sin tus abrazos, sin tu amor.

Sé que tú no sabes nada de lo que tu llamado *novio* hizo contra mí, sé que no lo hubieras permitido. Un abogado tan famoso y tan elegante no podía permitirse que un pintor de pacotilla, como yo, le hiciera sombra. Sus manos nunca se manchaban de sangre porque el dinero lo compraba todo y también lo hizo contigo. Sus guardaespaldas me dieron un recado en forma de patadas y puñetazos para que no me olvidara de él, pero sí de ti. Me dejaron medio muerto justo en el parque de nuestro amor. Como pude llegué hasta nuestro banco para poder recordarte. Tu novio me ganaría en el derecho de no verte, pero de mi mente jamás te alejaría. Me senté e intenté vislumbrar nuestros nombres grabados en el árbol, pero mis ojos se cerraban por el peso de la sangre perdida. Lo último que vieron fue la llegada de un hombre regordete que se acercaba hacia mí con muchas palomas que le seguían a cada paso.

Mis ojos se cerraron, dando paso a luces y sombras, hasta que en un segundo, o quizás una eternidad, apareció mi adorada madre y los recuerdos envolvieron mi mente de tristeza por su muerte. Me quedé sin ti y sin ella, qué más me podía arrebatar la vida. Soñé con mi infancia mientras la sangre corría por mi frente y el misterioso hombre se acercaba a mí...

12

MI INFANCIA NO FUE MUY DICHOSA QUE DIGAMOS. Estuvo llena de infortunios por culpa de mi padre. Era marinero, por lo que pasaba la mayor parte del tiempo fuera de nuestras vidas. Recuerdo que en ese tiempo la casa era un oasis de paz y tranquilidad. Mi madre me amaba con pasión. Todo era apolíneo y venturoso.

Era una gran mujer. Una dama de las que ya no existen. Éramos madre e hijo, pero muy amigos. El tiempo a su lado se hacía muy corto. Me contaba cuentos en el susurro de la noche y yo me apretaba a ella con fuerzas para que nunca se alejara de mí. Aún hoy, respiro su aroma mientras duermo. Su dulce olor impregna mi alma y mi corazón de una alegría que tenía perdida. Sé que me cuida desde el cielo. Siento su presencia cerca de mí. Nunca me abandona y algún día estaré cerca de ella para no separarme nunca más.

Cuando mi padre arribaba a tierra el semblante de mi madre cambiaba por completo. Yo no sabía el porqué de esa situación, después de tantos meses sin ver a mi padre lo más normal es que quisiera abrazarle con fuerza para que no se fuera nunca más de su lado, pero no era así...

Siempre me traía un regalo y me contaba batallitas vividas en la mar. El semblante de mi madre envejecía por segundos. Su belleza se marchitaba. Lo meses que su marido pasaba en casa, la flor envejecía hasta casi morir de angustia y temor.

Yo tendría siete u ocho años cuando escuché por primera vez los gritos de mi padre insultando a mi pobre madre, que solo suplicaba que se callase para que yo no escuchara nada. Mi madre no quería que yo sufriera e intentaba que todo fuera un juego para mí. Cuando mi madre se percataba de que mi padre llegaba borracho a casa, me metía debajo de la cama y me decía que todo era un juego y que si quería participar. Yo le decía que sí, me encantaba jugar y más con mi madre. Era algo fascinante estar debajo de la cama y no saber lo que ocurría arriba. Unos tapones en las orejas, que mi madre fabricaba, daban aún más si cabe, mucha emoción al nuevo juego que mamá se había inventado.

Yo tenía que agarrar la pierna de mi madre en silencio y contar las veces que él la bajaba al suelo la pierna con fuerza. ¡Era muy emocionante! A ciegas, ya que otra de las reglas era cerrar los ojos para no ver la pierna, tenía que contar en silencio los golpes de mi madre.

Uno, dos, tres, cuatro, cinco, seis, siete, ocho, creo que nueve, sí nueve. ¿He contado bien, mamá? Le decía muy orgulloso después de que ella me sacara del fondo de la cama. Ella fingía una sonrisa que no le salía del corazón. Me abrazaba contra su pecho y lloraba con intensa amargura. Yo le preguntaba el porqué de sus lágrimas, y ella me respondía que eran de felicidad al ver lo bien que contaba. ¡Pobrecita! Yo contaba los golpes que el mal nacido de mi padre, si se le puede llamar así, le infligía en su cuerpo delicado. Ella se tapaba la boca con las sábanas para acallar los gritos de dolor. Jamás la escuché quejarse.

Solo era un objeto de sexo y golpes para aquel ogro. Siempre lloraba en el silencio de la noche. Sus límpidas lágrimas caían por el ventanal lluvioso que adormecía la noche onubense.

Nunca entenderé cómo mi padre pudo comportarse así con ella. Sigo recordando cada latigazo, cada gemido, cada suspiro que salía de su boca en el silencio de la habitación maldita. Cuanto más tiempo pasa de su muerte, más la tengo en mi mente. Aún conservo en mi memoria la carta que le dejé en su tumba para que siempre se acordara de mí, aunque sé que no hacía falta. Siempre me amó como no se puede amar a nadie.

Otros ojos de gata que me dejaban solo en este mundo...

A LA MEMORIA DE MI MADRE:

Querida mamá:

Aún recuerdo el dulce olor de tu cuerpo junto al mío y cada abrazo que me dabas antes de dormir. Ese era mi regalo al despertar, ya que tú seguías junto a mí, acariciándome...

Tu voz navega conmigo cada día desde la lejanía de tu nuevo reino, donde Dios, ese buen hombre, te llevó sin preguntar. Yo te escucho, te siento y sigues aquí, a mi verita, haciéndome caminar...

Es el más tierno recuerdo de mi infancia, el más lindo y puro que podría, si quisiera desear. Con tu mirar yo me envuelvo en ti. Sigo buscándote sin parar, aunque sé que a mi lado estarás siempre, rozando mi alma, susurrándome palabras hermosas cerca de mi cuello, con ese perfume de amor que alumbraba mi corazón...

Junto a mi cama creo verte pasar cada noche. Sin hacer ruido...

La oscuridad de la noche, estando contigo, se hace luz y me acurruco a tu lado, para que me hagas soñar. Cada madrugada recojo la flor de tus besos, recordando que fuiste la poesía de mi niñez y que juntos deshojábamos margaritas y subíamos al cielo montados en el columpio del amor.

Mi infancia, mi vida y todo mi ser, llevan y llevarán siempre grabado tu dulce y delicado nombre, y al gritarlo sonreiré porque sé que me miras y te iluminas a mi lado...

Gracias por hacer que tu recuerdo en mí sea bello y apolíneo.

Si me ves llorar, no sufras ni llores tú también. Piensa que lo hago porque tu existencia fue mi única vida y te adoro. Pensar en ti es un regalo que siempre me mantendrá en pie.

Aún sigo siendo ese niño loquito, ¿te acuerdas, mamá? Te enfadabas porque lo era pero, a la vez, reías y me abrazabas.

Sigues siendo y serás mi gran amor. Aquel que paseará conmigo de por vida y algún día, no sé cuándo, te buscaré entre las rosas del paraíso, donde debes de estar. Yo te seguiré amando toda la eternidad...

Nadie me alejará de todo aquello que me enseñaste. Perdóname si me ves caer o tropezar en el camino. Sé que me ayudarás y me guiarás, mostrándome la luz de la felicidad. Por favor no dejes nunca de sonreír y permíteme poder escucharte aunque sea de lejos. Sé que no te has ido del todo. Continúas siendo la dueña de mi alma y de mi amor. Sigue buscándome en la noche, al dormir, que yo estaré esperándote, mamá...

Descansa y sé feliz. Duerme entre las estrellas porque sin ti el cielo dejaría de brillar.

Gracias por hacer que sea cuanto soy, por no soltar mi mano, por aquel último «Te quiero» que me susurraste al oído mientras caminabas hacia el cielo...

Siempre te amaré mamá. Descansa ojos de gata...

Tuve un sueño tenebroso con todo lo que ocurrió en mi infancia. Al morir mi madre mi sueño de ser feliz se desvaneció. Te aseguro mi amor, o al menos te narro mi experiencia, que a los diez años se llega a soportar el hambre, el frío, las palizas de mi padre...

Pero lo único que no se resiste, en modo alguno, es la aterradora convicción de saber que existes sin que a nadie le inquiete en absoluto lo que pueda sucederte.

Casi siempre soñaba con mi madre, y sobre todo con unas Navidades en que repartí unos números de lotería para sacar algunas pelillas extras. En pocos días había vendido todo lo que me dieron. Reuní bastante dinero y fui a llevárselo al hombre que me había dado los números, pero por el camino me encontré la tienda más divina de juguetes que había visto en mi vida. Después de morir mi madre los regalos brillaron por su ausencia, y solo los golpes, los repudios y las acusaciones formaban parte de mi vida con aquel ogro que dejó los barcos y se dedico a mendigar con su hijo.

Me armé de valor y me gasté todo el dinero en unos juguetes que me embelesaban hasta tal punto que me vi como un niño normal, a quien su madre esperaba con amor en casa. Los guardé con sigilo debajo de mi cama, para que el lobo no los encontrara. Disfruté de cada segundo que me proporcionaron aquellos juguetes, hasta que llegó el momento de entregar el dinero...

Ese día no aparecí por casa a comer. Estaba angustiado y me maldecía por haber cometido esa estupidez. Pasé la tarde con mis amigos mirando de soslayo la llegada del lobo. La noche cayó sobre la calle y me dirigí cabizbajo hasta el portal de mi casa, me acurruqué en la puerta. No podía dejar de pensar en qué hacer o qué decir. El ogro no me creería de todas formas...

Al segundo se encendieron las luces del portal y escuché un silbido procedente de las escaleras. El miedo apareció en mi rostro: era mi padre...

Bajó las escaleras lentamente, mientras mi corazón se aceleraba cada vez más.

Era algo insoportable. Parecía que lo hacía con maldad. Sabía que yo estaba allí y disfrutaba con ello.

Llegó hasta el último escalón, con el dedo índice y sin mediar palabra me indicó que subiera las escaleras. Agaché la cabeza y empecé a subir, con trémulos pasos, cada peldaño. En ese momento me agarró con fuerza y empezó a golpearme, gritándome y maldiciéndome.

Vivíamos en un tercer piso y me subió a patadas y puñetazos. Yo estaba atemorizado. Él no paraba de gritar repitiendo, una y otra vez:

—¿Dónde está el dinero, mal nacido?

Siguió sacudiéndome hasta que entramos en casa y me hizo la misma pregunta.

Yo, entre lágrimas y alaridos, le dije que me lo había gastado en juguetes.

Se encolerizó más aún, si cabe. Se quitó el cinturón y comenzó a pegarme en todas las partes de mi pequeño cuerpo.

Me agarró por los pelos y me levantó en peso hasta que pudo ponerme el cinturón alrededor del cuello.

No sé cuanto tiempo trascurrió, mi cuerpo ya no sentía dolor alguno.

Me arrastró hasta mi habitación y al abrir la puerta vi que todos mis sueños estaban rotos y esparcidos por el suelo.

Me tiró a la cama y apagó la luz. Se marchó al comedor vociferando y hubo unos minutos de silencio, o eso me pareció a mí. Todo mi cuerpo temblaba de la brutal paliza que había recibido por ese monstruo, llamado padre, que tenía.

Solo me dio tiempo de coger la foto de mi madre y rogarle que me ayudara.

Entró en la habitación encolerizado, bajo los efectos del alcohol barato que bebía, y me cogió como a una bolsa de basura, me llevó hasta la entrada de la casa mientras yo le pedía sollozando perdón, no lo volveré a hacer. Él ni se inmutó, me tiró escaleras abajo mientras me maldecía y me escupía a mí, a su hijo.

Me levanté lo más rápido que pude y salí del portal del ogro corriendo.

Caminé unos metros. Hacía mucho frío y no tenía un chaquetón que aliviara mi cuerpo. Así que decidí resguardarme en el portal y pasar allí la noche.

Pero mi padre estaba en la calle vociferando que no quería ladrones en su casa y que me fuera si no quería recibir otra paliza.

Me marché de allí muerto de miedo, mirando de soslayo y escuchando la risa tenebrosa de mi padre que se reía de mí y de mi madre.

Caminé confuso, sin saber qué hacer, hasta que llegué a un parque que tenía un pequeño puente y debajo de él había unos bancos de piedra. Pensé en resguardarme allí mismo, pero el viento que corría era insoportable y cada vez me sentía más débil.

Así que me levanté como pude y comencé a caminar. Llorando llegué hasta la playa. No podía aguantar el frío que llevaba en mis huesos. Me dirigí hasta unas barcas cubiertas con lonas y pensé en refugiarme dentro de una de ellas.

Rompí uno de los amarres y me introduje dentro de aquella barca.

Estaba atemorizado. Escuchaba ruidos por todas partes y no paraba de llorar.

Me punzaba todo el cuerpo y no dejaba de sangrar por la nariz y una de mis cejas. En algún momento de la noche me quedé dormido...

Me desperté sobresaltado. No sabía la hora que era, pero parecía que empezaba a amanecer. Seguía tiritando e incluso me había orinado en los pantalones.

Salí de aquella barca y me senté en la arena. El sol intentaba salir. Era la primera vez que veía un amanecer. ¡Ya ves, amor mío!, qué primera vez para un crío.

En ese momento vi a mi madre en el cielo, diciéndome que me amaba, que todo saldría bien. Yo lloraba porque quería estar con ella. Solo con ella...

He tenido dos palizas brutales en mi vida, la de mi padre y la de tu presunto marido.

Una me ha llevado a la otra, un sueño de odio y rencor que hizo que mi cuerpo los maldijera para el resto de la vida. La de mi padre fue bestial pero salí de ella. También saldría de esta, mi amor. No te preocupes por mí, tú ya tienes muchas cosas por las que preocuparte. Sobre todo de cómo amar a alguien que no amas realmente. Buena pregunta para que me la contestes...

Dejo que la pienses...

13

EL RECUERDO DE MI MADRE ME HIZO DESPERTAR SO-
bresaltado. Pensé que seguía en el parque al lado
de mi amor, pero no. Estaba en mi casa. ¿Cómo había llegado hasta ella? Intenté levantarme pero mi cuerpo
me respondía que no. Tenía un brazo vendado y la ceja
cosida. ¿Pero quién me había curado? Grité si había alguien en la casa maldita y no contestó nadie. Sin embargo,
unos pasos que salían de la cocina se acercaban hasta el
sofá del salón donde se ubicaba este cuerpo dolorido y
molido por los golpes de un amor perdido. No tenía miedo, ya que si me había curado no querría matarme.

Mis ojos no se podían creer lo que estaban viendo.
Era aquel hombre regordete que cuidaba de las palomas
de nuestro parque. Siempre me dio lástima, ya que todos
los niños de allí se metían con él. Su semblante cambió por
completo cuando me vio despertar. Se dirigió cabizbajo
hasta la puerta de la casa y sin decir ni una sola palabra
abrió el pomo para salir de la jaula de temor que habitaba
en la casa.

—Espera, no te vayas, por favor —le musité.

Me miró con seriedad. Cerró de nuevo la puerta y se sentó en la silla que había cerca del sofá.

—No te he robado nada. Te lo juro por Dios —esas fueron las primeras palabras de aquel hombre.

—Lo sé, no te preocupes. ¿Cómo sabías dónde vivía y por qué me has traído?

—Miré en tu cartera, vi la dirección en el carné de identidad y te traje aquí, no podía dejarte allí solo y abandonado. No te he robado dinero, puedes mirar si quieres. No soy un ladrón —volvió a indicar.

—Sé que no eres un ladrón. Gracias por traerme y curarme las heridas. Te lo agradezco de todo corazón. ¿Cómo te llamas y dónde vives?

—Me llamo Juan y vivo en el parque. Soy un mendigo, pero no un ladrón.

No dejaba de repetir siempre que no era un ladrón. Parecía que la vida no lo había tratado bien y siempre quería justificarse ante las personas.

—¿Tienes hambre? —me preguntó Juan, señalando la cocina.

—Un poco.

—Acabo de hacer una sopa. Espera que te sirvo.

Desde aquel instante ese hombre regordete fue mi amigo inseparable. Me contó cómo la bebida y las drogas lo habían dejado en la calle, solo y amargado.

El amor de su vida había muerto en un accidente de tráfico y él murió con ella.

Tuvo el valor de salir de todo eso y ahora daba de comer a las palomas y limpiaba el parque. Sus palabras me enternecieron, pensando que mis problemas eran mínimos comparados con los de él. Desde ese día vivió conmigo y nunca más se ha separado de mí. Él hizo el agujero en el árbol para meter mis miedos y mis lamentos. Seguía viendo tus ojos de gata cerca de mí...

Durante muchos días deambulé entre luces y sombras. El que llamarás *marido* se había encargado de que no estuviera en circulación hasta que pasara tu boda, pero ya sabes que soy muy obstinado y nunca hago caso de nada de lo que me dicen, así me va...

Juan no dejó de cuidarme durante un solo segundo de los días que pasé maltrecho en la cama. Él dormía en el sofá, y en la soledad de la noche escuchaba como gemía y lloraba por su amor perdido. Me compadecía de él, porque yo tenía la suerte de verte, aunque no estuvieras a mi lado, él jamás podría hacer eso...

Tuve muchas pesadillas a lo largo de esos días que pasé tan malos en la cama. Pensé que moriría y el lobo se saldría con la suya quitándome de tu lado para siempre, pero, aunque no lo creas, soñé con Dios, sí, yo que soy ateo, soñé con él y me dio fuerzas para salir del pozo donde me encontraba.

Fue algo inusual y surrealista, pero allí estaba él...

Una luz cegadora irrumpió en el paraíso y una figura salió caminando y sonriéndome. La luz desapareció y una apolínea áurea residía al Señor. Un brillo especial y radiante. Era algo majestuoso. Vestido de un níveo inmaculado se acercó a mí y me levantó del suelo. Yo estaba arrodillado al ver tan majestuoso ser.

—No te agaches, hijo mío. Ven, levántate, vamos a sentarnos cerca del riachuelo.

—Gracias, Señor, por tu misericordia y gratitud —le musité cabizbajo y nervioso.

—Únicamente se lo debes a tu corazón. En verdad eres una buena persona, noble y sincero. Te quiero a mi lado el resto de la eternidad, pero aún es pronto, debes volver y ser el ángel de la guarda de tu querido amor. Tienes que ser tú mismo, sacar fuerzas de flaqueza y vivir la vida. Tu recompensa llegará.

—Gracias, Señor, no creo que vuelva a ser feliz sin el amor de mi vida.

—Has sembrado bien tu cosecha. Ha sido buena y abundante durante muchos años. No pierdas la esperanza por unos años de sequía. Todo volverá a la normalidad. Ven, vamos a pasear.

Un silencio sepulcral se hizo en aquel apolíneo y fabuloso lugar. El agua fluía fina y abundante por las laderas. Las flores acariciadas por la brisa fresca que llegaba, emanaban olores cálidos y bellos. Había armonía y mucha paz.

Estaba feliz al lado de Dios. Me cogió de la mano y caminé a su lado...

Desperté sobresaltado y lleno de sudor por la fiebre que tenía. Miré de soslayo y vi cómo roncaba Juan en el sofá roído por el paso del tiempo. Sonreí por el sueño que había tenido. Nunca dejaría de amarte, eso sí era real, lo demás no importaba. Seguí recordando hermosos pasajes de nuestra vida en común mientras me curaba de mis heridas exteriores, porque las interiores nunca cicatrizarían.

14

OTRO DE MIS RECUERDOS MARAVILLOSOS FUE CUANDO viajamos para conocer a tu padre que estaba de vacaciones en casa de tu tía María. Ella vivía en Peñarroya, un bonito pueblo de Córdoba. Allí se había reunido toda tu familia, y era un día especial para ti. Se te notaba en el brillo de tus ojos la felicidad que sentías en ese momento. Jamás pensé que lo pasaría tan bien al lado de tu familia. Tu padre Manuel y tus tías María, Ana y Rosa eran verdaderas buenas personas. Estabas muy orgullosa de ver esa alegría en el rostro de tu padre. El amor rebosaba por la casa. Todo era paz y sosiego. Realmente mereció la pena ir, me trataron como a un hijo. Al principio la timidez se apoderó de mí, pero con el paso de las horas me sentí seguro. Disfrutamos de dos días mágicos. Tu sonrisa revelaba que tu corazón estaba feliz. «Te amo», me decías. No hacía falta que lo dijeras, tus labios y el brillo de tus ojos te delataban. Suspirabas mientras tus tías te contaban cosas de la niñez. Lo traviesa, dulce y mimosa que te volvías cuando te vencía el sueño. «Un ángel», decía tu tía María. «Un osito entrañable», respondía tu tía Rosa. La verdad es que las dos tenían razón, porque eras un cielo de persona. Comimos a la luz del fuego de la chimenea. Tu familia se había esmerado y cenamos como reyes, deleitándonos de manjares placenteros. El frío se fue disipando y tu felicidad se había restablecido por completo. La despedida fue triste, pero se te notaba la alegría de haber pasado un fin de semana realmente maravilloso. Yo me sentí de la familia y los echaría de menos. Su bondad me había cautivado y mi corazón les pertenecía. Tus tías nos besaron, y unas lágrimas se deslizaron por sus tiernas mejillas. Sus manos acariciando el aire se quedaban atrás, mientras el rugido del motor ahogaba tus palabras de despedida. Suspiraste y te acomodaste en el coche. Me tocaste el pelo con tu dulce mano y esbozaste una sonrisa. «Al menos me quedas tú, mi amor». Tus palabras me volvieron loco de alegría. Paré el coche y te besé. Reías y me decías: «¡Estás loco!». Sí, no había ninguna duda, estaba loco por ti, mi amor.

NO PODÍA DEJAR DE LLORAR LEYENDO ESTA CARTA que encontré en el árbol. Tenía que hacer una pausa y así mis ojos descansarían de tantas lágrimas. Era como si todo eso me pasara a mí. Sentía el dolor y la amargura que reflejaba Abel en esos folios. Hasta el corazón lo tenía amartillado, pues no comprendía cómo una mujer podía rechazar a un hombre que tan profundamente la amaba. Así me hubiera gustado a mí amar a mi novia, con esa locura y esa fresca pasión con que Abel amó a África. Me sentía tan emocionado que de alguna forma me atraía esa misteriosa África. Aunque la describía tan exuberante y tan enigmática que por momentos creí que eran elucubraciones de una mente turbulenta. Pero...respiraba tanto amor en sus palabras, tanta sinceridad, que aun delirando, seguro que todo había salido de su corazón.

Me enjugué las lágrimas que humedecían mi rostro, mientras ojeaba las páginas que me restaban por leer, pero mi mirada se desvió hasta el viejo del banco, ¿podía ser el de la carta? Un hombre atormentado por su destino inacabado y hundido en las lagunas de la melancolía. ¿Qué haría ahí sentado con la mirada perdida, seguiría, tal vez, esperando a su amor? Realmente era algo incomprensible para mí, pues ahora se cambia de novia como de vaqueros... Entonces, ¿será posible que un hombre esperase a una mujer cuarenta años? Era muy fuerte todo esto para mí. Pero no debía de adelantarme a los acontecimientos, quizás Abel se casara con África y todo tuviera un final feliz. Lo mejor era seguir leyendo, así saldría de dudas y seguiría emocionándome como pocas veces lo he hecho en mi vida.

Respiré hondo y miré al sol que se reflejaba en los folios, parecía que el astro rey no quería perderse tan apasionante relato. Limpié mis gafas empañadas por las lágrimas que provocaron las desgracias ajenas, que hice mías, y volví a concentrarme en tan desgarrador relato. Una voz que penetraba en mi corazón, me impulsaba a vivir con Abel esas horas malditas que dieron lugar a la existencia de estos folios... Los que encontré por casualidad o ¿tal vez no? No podía saberlo, pero seguro que me lo desentrañarían las páginas de esta absorbente historia de amor. Así que no debía de perder más tiempo en banales reflexiones y debía sumergirme en las desgarradoras palabras de Abel... Y sufrir o gozar con él su amor tan puro.

Así pues, acomodé mis cinco sentidos en derredor de aquel parque y acaricié una nueva página con toda la intriga del mundo perforando mi corazón. Pues nunca antes en mi vida historia parecida caló tan dentro de mí, ni despertó tan desmedido entusiasmo. Me coloqué el mp3 con las canciones de cantantes de la tierra, así se me hacía más llevadero el sufrimiento y amargura de un hombre por su amor perdido. Escucharía a Sergio Contreras, Manuel Carrasco, Jalo, Fernando Caro, Arcángel, Morano y Argentina. Tenía ganas de imbuirme dentro del corazón y la mente de Abel. Empezó a sonar la balada en mis oídos y su letra me trasportó a un mundo de sensaciones inéditas para mí. La música de los artistas onubenses quería ser partícipe de esta historia que me llenaría el corazón. Nada mejor que la melodía de Huelva para comprender todo el amor que Abel sentía por su gran amor: África. Respiré fuerte una última vez y acaricié de nuevo la próxima hoja que me llenaría de nuevas fragancias de paz y amor.

Así seguía el amor de Abel:

16

CUANDO ME CURÉ DE LAS HERIDAS INFLIGIDAS POR, no sé cómo llamarlo, fui a sentirte cerca de mi corazón a nuestro lugar de encuentro.

Paseé por nuestro parque, donde nos amamos, y me senté en el banco cerca del río, donde tantas veces nos besamos, y con mis dedos rocé la madera donde te sentabas, y sentí como si algo de ti y de mí, de nuestro pasado, me recorriera todo el cuerpo. La esencia de nuestro amor se había quedado en aquel banco imperecedero... pero tú no estabas a mi lado y sentí cómo mi corazón se desolaba y las lágrimas acudían sin piedad a mi rostro. Aun así, algo de ti seguía vivo en aquel lugar. Una parte de ti seguiría de por vida en este lugar. Tu esencia permanecería el resto de mi vida junto a mí, y eso me consolaba, me engañaba a mí mismo y seguía avivando mi corazón con la ilusión de tu amor.

Caminé lentamente junto al cauce del río, quería llegar hasta el viejo apeadero del tren, donde nos despedíamos cada noche bajo la luz de la luna; y así recordé nuestro primer beso. Fue algo mágico y sensual, nunca un beso me transportó a mundos diferentes, como sucedió aquella noche. No sé cómo explicártelo, mi amor, pero sentí un cosquilleo enorme en mi corazón, y en ese momento supe que no dejaría de amarte en mi vida, y así será. Sonreías, estabas un poco nerviosa, igual que yo, sentíamos, una mezcla de pasión descontrolada y vergüenza de principiantes, pero éramos felices, el día había sido perfecto y jamás lo olvidaría. Fue por San Valentín cuando te regalé el primer ramo de flores, te sorprendí gratamente y luego te besé, apoyado en la pared del viejo apeadero. Mis ojos se cerraron y un círculo de amor inundó nuestros cuerpos de dulce pasión, todo era perfecto, sentí ganas de gritar a los cuatro vientos que estaba enamorado de ti, y que eras la mujer de mi vida. La persona con quien compartiría mi vida para siempre jamás. Esa persona eras tú mi amor, mi dulce y delicado amor.

Nos gustaba este lugar, todas las tardes veníamos a pasear junto al río. Compartíamos nuestras historias, nuestras risas, nuestros lloros y nuestras añoranzas, pero sobre todo destacaba la locura de nuestro amor.

Pasear junto al río nos encantaba, tirábamos piedras a sus cristalinas aguas, y luego nos sentábamos cerca de la orilla a merendar esos pasteles que tanto te gustaban. Pero yo te reclamaba, quería que toda la atención la pusieras en mis ansiosos besos. Y absorbía tus sonrisas, tu boca azucarada se perdía en la mía, y así caía en un éxtasis inigualable que rimaba con aquel paraje maravilloso. Todo era perfecto, luego cogidos de la mano caminábamos atraídos por la fuerza de nuestra pasión. Siempre arrancaba alguna flor del bosque y te la regalaba, y tú coqueteabas adornando tu pelo... Estabas preciosa cariño mío, y yo me sentía tan feliz viviendo esos momentos a tu lado, mi vida, que estaba convencido de que este lugar era mágico, y que estábamos rodeados de ángeles que afianzaban nuestro amor hasta la perpetuidad en el aire de aquellos bosques.

Todo era perfecto. El día era muy soleado y nos cobijamos en la circundante sombra de los pinos... Yo sentía que nuestras vidas se fundían, y todo era perfecto. Mis labios impregnados de los tuyos, entonaban unos versos que preparé para cuando nos amáramos, como ahora... Tú te quedaste tan sorprendida que no pudiste articular palabra, únicamente me besabas y me amabas, y lo sentí que enloquecías de tanta felicidad. Entonces comprendí que estabas plenamente enamorada de mí y siempre lo estarías...

Estando en aquel andén me apoyé en la misma pared, en el mismo lugar donde nos despedíamos, y cerré los ojos para volver a sentir tus labios, para ver tu sonrisa, para sentirme de nuevo vivo entre tus brazos y volver atrás en el tiempo. Me agobié de tal manera que mis ojos no se resignaban a no verte, mi amor, y lo hubiera dado todo por traer al presente mis recuerdos del pasado. Porque todavía eran sueños de futuro..., pero al abrir los ojos no estabas, mi amor, con tu maravillosa sonrisa iluminado tu bella cara. Me sentí muy infeliz viéndome tan solo en el viejo andén, en nuestro parque. Caminé hasta el árbol y rocé con mis dedos nuestros nombres tatuados... Tú reías mientras lo hacía, estás loco, me decías, pero tenía que grabar nuestros nombres para que nada ni nadie nos separase, para que solo la eternidad guardara nuestro dulce y tierno amor.

Nos sentamos en nuestro banco para deleitarnos con nuestros nombres perpetuados, y suspirábamos imaginando que lo llevábamos grabado en nuestro cuerpo para siempre. Tus ojos de gata me cegaban contemplando la belleza que brotaba de tu ser. Y el viento de primavera eternizaba aquel episodio de nuestras vidas, y lo guardaba en nuestros corazones.

Ahora vuelvo a la mísera realidad, es como si mi cuerpo se hundiera lentamente. No como, no bebo, no puedo dormir, no me deja mi corazón, porque cuando cierro los ojos te veo una y otra vez, poseyendo otro cuerpo que no es el mío. Intento salir adelante, pero tu recuerdo sigue muy dentro de mí, y sigue ahogándome el perfume de tu ser.

Seguía poseído por ti, y lo malo era que tú ni siquiera lo sabías. Esa era mi pena, porque no podía explicarte tantas cosas que necesitaba contarte: acabar de esta mala manera nuestros sueños inacabados, dejarte escapar de mi lado tan fácilmente sin oponer resistencia, porque los muros se habían derrumbado y toda la ira de tu desamor había acabado de una manera trágica y desdichada con mi fracasada vida.

No quería que sintieras lástima por mí, eso sería lo último. No me arrastraría a tus pies, aunque en algún momento llegué a pensarlo. Porque sabía que habías tomado una decisión, y me gustara o no, estaba tomada y nada ni nadie la cambiaría. Así que me resigné y lentamente me fui apagando. La llama de mi vida se fue extinguiendo y un oscuro vacío recorría los rincones de nuestra casa, encadenado a tus recuerdos, a tus risas y a tus lamentos. Todo te pertenecía, hasta mi alma.

Me encerré en nuestra casa y me dediqué a pintarte una y otra vez. No era lo que habíamos acordado, pero sentía ganas de expresar todo lo que llevaba dentro. Un cuadro tras otro salía de mis manos; era maravilloso volver a verte, me sentía feliz, pero tu ausencia seguía presente. Todo te pertenecía, incluso mis manos pintaban lo que tú mandabas. Se hacía eterno no verte, no amarte, pero la realidad era así. Por eso seguiré pintándote y de alguna manera te tendré para siempre.

Luché contra tus recuerdos, contra tus besos, contra tu tierna sonrisa, pero siempre me vencías y me humillabas. Seguías machacándome día tras día, sin saber por qué, no querías marcharte de mi lado, y eso era duro para mí. No sabía cómo vencerte y estaba decidido a no rendirme, pero siempre me abandonaban las fuerzas y volvía a ser el hombre enamorado que un día tú conociste.

Seguía soñando contigo, mi amor, noche tras noche, te colabas por las rendijas de mi mente y acampabas en nuestra cama. Te embozabas las sábanas y me dabas un calor eterno. Yo sabía que tú estabas allí, tu olor era inconfundible, algo bello y sublime, y yo respiraba a pulmón abierto, como cuando fuimos a La Zarza. Y ese perfume a eucalipto invadía de nuevo mi corazón y te seguía amando bajo el embrujo de la luna. Era algo colmado de ternura y soledad constante, todo esto sentía a cada segundo de la madrugada. Solo te extrañaba cuando abría los ojos y veía el vacío de tu lado de la cama, intacto y sin arrugas. Apoyaba la barbilla sobre las sábanas y buscaba algún indicio de tu amor, mas no había nada, se había diluido en la soledad de mi vida.

Meramente me quedaba esperar tu regreso, que cambiaras de manera de pensar y volvieras a mi lado. No me quedaba otra cosa que esperar. Día tras día me asomaba a la ventana y miraba hacia el mar: aquella vista que tanto te gustaba al levantarte de la cama, y que reflejaba en ti la paz y el amor que te inundaban... Y tomabas tu café solo, deleitándote con la hermosura del paisaje. Fue un acierto vivir en aquel lugar, era nuestro nido de amor, nuestro refugio ante el mundo, nuestra esperanza de vida y... nuestro sueño frustrado.

Cada mañana era más dura que la anterior y así día tras día, noche tras noche sin dormir, buscando tu ausencia, sintiendo lástima de mí mismo, suplicando que volvieras a mi lado. Pero todo era inútil, porque no te escuchaba, ni te veía y no sabía nada de ti. Y eso me consumía día tras día. Me inundaba de amargura y dolor, me alejabas de tu ser y no podía permitirlo, pero tampoco podía hacer nada. Lo único que podía hacer era esperar y esperar, imaginarme el aroma de tu esencia y no sucumbir al desamor perpetuo con que me habías esposado.

Seguí engañándome a mí mismo y malviviendo con las migajas de tu esencia que aún conservaba mi cuerpo, porque no me quedaban fuerzas para humillarme aún más. Confiaba en tu amor, en tu juicio eterno y en tus palabras desdibujadas en mi ser, y esperaba verte a mi lado pronto, muy pronto.

Cerré los ojos y volví a verte, recordé las últimas Navidades que pasamos juntos. No sé por qué vinieron esos recuerdos a mi mente, quizás porque no podía dejar de amarte y no me resignaba a pasar solo esas fechas tan señaladas. Me sentí como abandonado en la cárcel que se convirtió nuestro hogar, mi amor.

Así que para no sentirme desolado quise recordarte en las últimas Navidades que nos amamos. Fue algo hermoso y efímero, aunque en aquellos momentos pensé que todas las Navidades las pasaríamos juntos.

Sigo manteniendo tu olor en nuestra casa, no quiero que se pierda, no quiero que entre otra Navidad que diluya lo que fue nuestro nido de amor.

Mis fuerzas flaquean, pero mi amor por ti sigue intacto y muy vivo. Mi corazón sabe que lo tomaste solo para ti y no puede dejar de amarte, yo tampoco deseo que te vayas. Sé que es lo mejor para mí, pero me consuela saber que un día fuiste únicamente mía, y que me amabas con locura.

Juan seguía haciéndome compañía. Él me ayudaba a sacar los fantasmas de la casa y me socorría en las noches oscuras y ciegas que asolaban nuestra habitación, mi amor. Me obligaba a comer y rendir cuentas con la ducha diaria.

No toleraba verme sufrir por ti. Nadie es mejor que nadie, me repetía, aunque yo, por desgracia, no lo escuchaba. Seguía viéndote a mi lado, pasando la Navidad cerca de mi corazón. Juan decoró la casa con adornos navideños que tú guardabas en una caja encima del ropero. Creo que fue lo único que no te llevaste, ya que todos los libros, tus pertenencias y mi corazón partieron contigo.

Aquí estoy celebrando con mi amigo algo que tenía que hacer contigo. Si, lo sé, he perdido en el cambio. Lástima...

17

E L ABETO ME TRAE MUCHOS RECUERDOS, QUE NO LO compartamos de nuevo, mi amor. Sumergido en el sofá revivo una y otra vez lo bueno y lo malo de nuestra pasión...

Reíamos mientras ubicábamos el árbol de Navidad, siempre fui un patoso y no se me dieron bien las manualidades, pero tú lograbas que me esforzara en lo que no me apetecía, y eso me gustaba de ti, siempre con esfuerzo y energía lo conseguiría todo, me decías, mientras un beso me dejaba en las mejillas tu olor fresco y perfumado, y yo suspiraba por otro beso y por otro...

El día en Huelva era fresco pero con un sol que mitigaba el frío. Las calles estaban colapsadas por el trasiego de la gente haciendo las últimas compras. La calle Concepción estaba repleta de personas buscando los postreros regalos y todos saboreaban la vivencia de la Navidad junto a los seres queridos.

¡Todo era tan hermoso!, me gustaba tanto mirarte mientras decorabas el viejo árbol de Navidad con las figuras que luego guardabas año tras año, con tanto mimo y delicadeza, y deseando que llegara el año siguiente... Es una tradición que amabas y yo la vivía con mucha ilusión a tu lado.

Tu padre se fue de viaje a casa de tu tía. Tú no podías viajar, y te deprimías porque querías estar con tu familia, pero yo te decía que ya iríamos en nochevieja, y también verías a tu tía Rosa que vendría de Valencia, otra mujer estupenda colmada de valores. Tenías suerte, tu familia te adoraba y eso te hacía muy feliz en esos días tan entrañables.

El olor de la comida inundaba toda la casa. Eras una cocinera excepcional, porque le ponías esfuerzo y cariño, como a todo en tu vida, pues nada lo dejabas al azar. Todo lo planificabas con tanta antelación que nada se te escapaba. Yo únicamente podía mirarte y deleitarme con tu sonrisa henchida de ternura, y con tu melodiosa voz mientras cocinabas aquellas comidas tan ricas.

Yo te abrazaba y te besaba el cuello, y tú reías y te apartabas con una sonrisa adorable que me llegaba al corazón, me decías que era un pulpo, que me estuviera quieto, y era cierto, me encantaba tocarte y sentirte junto a mí. Te besé en los labios una y otra vez, hasta que apartamos los vasos de la mesa y nos amamos desenfrenadamente, mientras el equipo de música dejaba escapar una tierna melodía... Tú reías y me amabas, y yo solo deseaba que lo hicieras... Era tan feliz a tu lado que no podría concebir una Navidad sin ti.

Después de cenar nos asomamos al balcón y observamos el mar que aumentaba su belleza con los villancicos, colmados de paz y amor, que la gente cantaba por las calles. Nos abrazamos y brindamos con champaña por un futuro con amor, paz y felicidad... Lástima que el futuro nos haya sido tan esquivo, mi niña. Hoy desolado recuerdo ese mágico día... de la prosperidad he pasado a la mendicidad de tu amor... así es la vida, me arroparé y seguiré soñando con aquella Navidad y con aquel día, este es mi único consuelo. Juan recoge los platos de la comida que casi no he probado. Sigue hablando de que tengo que vivir pero estoy sordo ante sus palabras. Ya sabe que no quiero hacerlo. ¿Para qué? Me coge la botella de licor que tenía para olvidarte y la vierte en el fregadero. Sigue hablando de lo malo de la bebida, él lo sabe por experiencia. Me suelta una charla sobre la vida y lo hermosa que es. Sin ti no hay vida pero él no me escucha, por desgracia para mí. Sus palabras contra ti me duelen aunque sé que tiene razón. No puedo decirle nada, él sabe que dice la verdad de nuestra relación. Os parecéis mucho, hubierais hecho buenas migas. Lástima que no pueda ser. Así es la vida, mi amor, así es, por desgracia.

18

DISTE EL «SÍ QUIERO» Y MIS OJOS SE EMPAÑARON DE lágrimas. Todo había salido perfecto, tal como soñamos. No pude evitar sonreír, tantas veces a medio camino entre la broma y lo serio, imaginamos juntos aquel momento. Todas aquellas ocasiones en que estuve a punto de perderte supe el tesoro que tenía y cuántas veces me perdonaste pequeños y grandes detalles..., sí ya sé que yo a ti también, pero ya sabes que te lo perdonaría siempre todo.

Mi amor era demasiado grande para perderte, pero no supe o no quise quererte como debería haberlo hecho. Este fue mi error y lo siento.

Nunca hablamos seriamente de cómo funcionaría nuestro pacto de amor. Cada cual fingíamos ser felices, debimos haber hablado, como todo el mundo, sobre nuestra relación, sin alterarnos; y debimos afrontar aquellos problemas que teníamos.

Hubiera sido más fácil y no hubiéramos llegado a esta situación de desesperanza y amargura.

Daría mi vida por haberlo intentado de nuevo, sin reproches, te lo hubiera perdonado todo, incluso tu infidelidad... No sé qué será de mí sin ti, no quiero ni pensarlo, mi amor.

Cerraré los ojos y dormiré un rato, si lo consigo, será el único momento en que no sufra por ti, mi niña.

¿Por qué te sigo recordando? Volveré a hundirme en el desamor de mi pobre corazón. No tengo ganas de recordar ni de sufrir, estoy cansado de verte infeliz a mi lado. No sé por qué, yo te lo di todo y jamás podrán hacerte feliz como yo procuré hacerlo. Pero sigues huyendo de tu pasado, solo quieres el presente, rodearte de nuevas amistades y olvidarte de nuestra vida, como si hubiera sido una pesadilla. Lástima, la verdad, pensaba darte mi amor para siempre, pero creo que no lo quieres, que me rechazas... Espero que sea por tu bien, porque a mí me dejas planchado en el suelo. No sé qué hacer, lo único realmente importante eres tú, seguiré con mis sueños y con tu esencia en mí, otra cosa no me queda. No conozco a tus nuevas amistades. Ricos abogados y gente de la alta sociedad. ¡Cómo has cambiado, mi amor! Veo a pocos amigos comunes. Es una pena que haya cambiado tanto. Jamás se me hubiera pasado por la cabeza este cambio tan drástico en tu vida. Lo quieres todo nuevo. Marido, amante, amigos, dinero. Espero que no te arrepientas, ¿o ya lo estás?

19

TUS MANOS TEMBLABAN COMO EL RESTO DE TU CUERpo, eran los momentos cumbres de la ceremonia, el sacerdote pronunciaba vuestros nombres y tú repetías todo lo que este hablaba, desposabas a tu amado, y él te miraba feliz y contento. El sueño por fin se había cumplido y el amor inundaba aquel recinto sagrado.

Los anillos casaban perfectamente en los dedos de los enamorados, tú tocabas el tuyo, una y otra vez, y no te lo creías. Al fin tenías uno de verdad, ya no habría más mentiras ni más errores. Ya eras esposa y eso te hacía más hermosa. El brillo de tu felicidad los eclipsaba a todos; estabas radiante, espectacular, serías feliz, muy feliz, te lo merecías.

El sacerdote dio por finalizada la boda. Tu sonrisa y los primeros besos fueron únicos e inigualables. Querías hacer la boda oficial y terminar pronto con el papeleo, porque deseabas encontrarte con los tuyos e inmortalizar esos momentos. Una lluvia de instantáneas acarició tus mejillas, tú sonreías y organizabas a la gente para las fotos, padrinos, cuñados, sobrinos...

Por fin nuestros sueños salieron por la puerta bajo una lluvia de arroz y un «Vivan los novios», éramos felices, no podía dejar de sonreír. Cientos de personas te besaban y te sentías feliz, muy feliz y muy especial.

Mis ojos perseguían a los tuyos, cómplices de nuestro amor, sentía ganas de besarte y de abrazarte, de sentir tu piel sobre la mía..., pero sabía que no era mi momento ni el lugar idóneo, solo podía observarte en la distancia, mientras tú eras el centro de atención. Todo se movía a tu alrededor, eras la protagonista que todos buscaban y adoraban... Y yo me mantenía a distancia..., únicamente brillabas tú, era lógico y normal, siempre fue de esa manera.

Tu última foto fue en las escaleras de la catedral. La gente de la calle se paraba viéndote tan feliz y tan bonita, nadie sabía quién eras, pero todos pensaron que eras la novia más bella que jamás vieron sus ojos. Tenías un brillo especial, fuera de toda lógica, algo impensable para mí en aquellos momentos: tu aura era mágica y una luz te mostraba el camino, tu vestido blanco eclipsaba a los rayos de luz, y verte caminar era lo más exuberante.

Seguro que en todas las fotos estarías radiante, bella como siempre lo fuiste, tuviera la cámara la perspectiva que tuviera, porque tú eras la fotografía, nada podría superarlo. Escuchaba en mis oídos nuestra canción de amor, una y otra vez volvía a tararearla, era algo impulsivo, pues te veía en la distancia y me emocionaba teniéndote tan cerca. Solo con verte me sentía de nuevo libre de toda culpa. Soñaba con este momento, el de nuestro reencuentro, jamás imaginé que sería en tu boda, algo inimaginable para mí hace un año y medio.

20

CUANDO TE MARCHASTE ME SUMERGÍ EN LA OSCURI-
dad..., perdí el trabajo y toda mi vida, porque toda
mi vida eras tú y solamente trabajaba para darte lo
mejor, así que ya nada tenía sentido... Yo siempre soñé con
pintar cuadros hermosos, donde hiciera feliz a la gente. Ese
era mi sueño, dedicarme meramente a pintar la belleza de la
vida, aunque hasta ese momento solo te pinté a ti, mi amor.
Durante unos meses me dediqué en cuerpo y alma a sentir
todas las sensaciones que habías dejado en mi pincel. Día y
noche te poseía lentamente, hasta que las fuerzas me aban-
donaron y ya no pude sacar más jugo de ti. En tan solo unos
meses te pinté más de cien cuadros. Terminé cansado de
todo, agotado de la patética vida que arrastré durante aquellos meses. Tanto que tuve que renunciar a una parte de tu
amor y vendí todos los cuadros para liberarme de tu sombra y de tu poder sobre mí. Terminé abatido, exhausto,
pero hice de tripas corazón y me fui cuidando, empecé a
alimentarme y a recuperarme... Aunque cada vez que ven-
día un cuadro, alguna parte de ti desgarraba mi corazón.

Sólo me quedé con un cuadro, lo colgué en nuestra habitación, sobre la cabecera de la cama, así siempre vigilarías mis sueños perdidos, y de alguna manera te tendría cerca de mí.

Era lo único que me quedaba de tu amor, junto a mis pensamientos y a mis amarguras, porque esto jamás desaparecería de mi vida. Ahora serías un espectro vagando por la casa día y noche, ahogando mi vida y marchitando todo mi ser.

Tuve que vender tus cuadros en la calle, donde la gente se compadecía de mí y me daban una limosna por lo que tanto esfuerzo me había costado. Pero el hambre es muy poderosa y lo consentía todo, con tal de salir adelante.

Un día, hermano en la monotonía a muchos otros, igual de melancólico y desesperado sin tu amor, una mujer me hizo una oferta por todos tus cuadros, una oferta que yo nunca hubiera imaginado. Me comentó que me lo pensara... ¿pero qué tenía yo que pensar, si el hambre ya había decidido por mí? Me llevó a su casa y me pidió que colgara los cuadros en su lujosa mansión. Nunca imaginé que alguien querría todos tus cuadros, mi amor... Pero la soledad de aquella casa sería el mejor sitio para ti: rodeada de la incertidumbre que me provocaba aquel lugar, y de la nada que envolvía tanto a grandiosos salones, como a la dueña de toda aquella hacienda.

Me encargó pintarla a ella y me recompensaría económicamente por cada cuadro que saliera de mis manos, pero yo no sabía si podría, porque yo solo pintaba por amor y hacerlo para otra era como si te traicionara.

Lo intenté una y otra vez, hasta que un día algo hermoso salió de mi corazón..., no eras tú; por fin tu rostro había abandonado mi mente, la estaba pintando a ella, solamente a ella, estaba librándome de ti, ganando una batalla en la guerra que tenía perdida para siempre, pero consolándome al menos porque me dejabas un poco de aire.

El cuadro le impresionó tanto que lo mismo lloraba que reía, tanta emoción le causó, que sin más se acercó a mí y me besó. No sé en qué momento hicimos el amor, y si fue hacerlo con ella, porque para mí eras tú, mi niña, solo tú la que me poseía, y sentía tus caricias, tus besos, y tu olor penetraba en mí lentamente y cabalgabas a mi lado, y yo no quería abrir los ojos y ver otra cara que no fuera la tuya. Solo soñaba con esos momentos ya olvidados por mi corazón. Era feliz después de tanto tiempo, era como sentirte a mi lado. Yo te besaba y te llamaba por tu nombre, pero callabas, únicamente me poseías, y yo sentí que me liberaba de la furia que todo ese tiempo engendró mi cuerpo. Y tú estás ardiendo, estabas como un volcán a punto de erosionar... mas la magia se disipó en un segundo y vi un rostro que no era el tuyo y una mujer cabalgándome como loca, y me besó... pero ese beso no sabía como los tuyos... Decepcionado salí de aquel hogar como alma que lleva el diablo..., porque te había tenido y solo me habías dejado más soledad...

Me volví a hundir dentro de mí, porque pensé que te habías marchado para siempre y que ya nunca volvería a hacer el amor con nadie que no fueras tú.

Corrí todo lo que pude, quise alejarme de aquella casa maldita. Porque en mis delirios pensé que tú la habías embrujado y únicamente querías poseerme... Pero he descubierto tu juego, yo sé que eras tú... con otra cara, pero al cerrar mis ojos te he visto y no has podido vencerme. Sabía que algún día volverías para hacerme el amor, por eso huí de aquella casa, porque no quiero que me hechices de nuevo y después me dejes otra vez en la estacada, moribundo y desolado.

Reí a carcajadas mientras mi corazón latía a mil por hora, mis piernas no podían dejar de correr, querían escapar de tu embrujo para alcanzar la felicidad que tú me habías robado, sin tener que mendigar de nuevo por ti, sin arrastrarme ante ti suplicando que volvieras a mi lado.

Solo quería que te marcharas de mi cabeza, que dejaras de azotarme día tras día, para tener la oportunidad de ver la claridad de un nuevo amanecer ante mí.

Tu figura llegaba a mi mente continuamente, porque cada gesto, cada sonrisa, cada tierno beso que me dieron tus labios, los tenía guardado en mi corazón.

Casi me embrujas, con tu cambio de aspecto, soñabas con poseerme de nuevo, pero con otra apariencia, pero ya estoy cansado de que juegues conmigo, y de que me ames sin ser tú realmente, solamente quiero que des la cara, que no te escondas detrás de ese hombre, y que vuelvas a mi lado y que podamos reanudar nuestra bella historia de amor.

Cansado y hundido de hacerte el amor y de correr de ti, huyendo de tus pociones mágicas, caí en el sofá de los recuerdos, buscando el olor de tu cuerpo, aturdido y emocionado, pensando que me habías engañado y que habías cambiado tu rostro por el de una mujer vulgar y efímera para mí.

Pero ya no volveré a caer en tus pócimas de amor, jamás cederé a otro cuerpo y a otro rostro que no sea el tuyo; así que ya sabes, si me deseas, vuelve, te espero.

Miro a cada momento las pocas fotos que dejaste en nuestra casa, pero no me importa, siempre te tengo en mí, jamás podría olvidar cada poro de tu cuerpo, cada gesto, cada sonrisa deseada y mágica, todo lo recordaba, como si estuvieras a mi lado..., de nuevo otra vez.

El alcohol y las pastillas eran el único remedio contra tu amor. Me embriagaba de dulce licor y volaba hasta extremos insospechados. Solo así conseguía ser feliz, así me encontraba en un estado de felicidad absoluta..., mientras tú me besabas hasta la saciedad, no podías parar y tampoco yo lo deseaba.

Tu cuadro y el alcohol, esa era mi vida, el legado de nuestro amor. Porque si no podía pintarte, estaba mejor borracho, así podía verte en mis sueños... Esas son las migajas que me quedaban, y las guardo con mucho esmero, no quiero que se diluyan en el anonimato de mi existencia. Pasaron muchas mujeres por mi lecho pero al llamarlas África se marchaban y eso me hacía feliz. No olían como tú, ni siquiera sabía sus nombres, tampoco me importaba. Solo quería poseerte y tenerte junto a mí durante el tiempo que cerraba los ojos y descargaba todo mi amor dentro de una impostora. Juan me ayudaba a salir del bache. Traía comida mientras yo te pintaba e intentaba hablar contigo a través de los cuadros.

Intentó sacarme de tu aroma, de tus ojos de gata que me poseían y me extasiaban. Lo intentó todo, pero fue imposible. Nada ni nadie podía cubrir tu vacío, tu amor.

Por desgracia no había nada que me alejara de ti. La bebida la escondía para que Juan no la vertiera en el fregadero y volvieran las charlas de siempre. Era la única forma de soñar contigo y amarte una y otra vez.

Qué hago contigo, qué hago sin ti. Déjame que te sueñe, a falta de tenerte.

No quiero llorar más, no puedo...

Mis ojos se desploman con tanta lluvia surcando mis heridas que no cicatrizan.

No dejo de temblar, no de frío, ya lo sabes. La botella de licor barato se resbala de mis manos sufridas y retorcidas. Se apenan de no tocar tu cuerpo. Solo pueden coger una botella insignificante. Han perdido en el cambio, lo sé...

Solo me queda la tristeza de recordar momentos que se perderán en mi memoria y que se irán olvidando con el paso del tiempo. No quiero olvidarte. Me moriría sin tus recuerdos...

Casi todas las noches, por no decir todas, cojo alguna fotografía tuya y la acaricio. Sé que no debería, pero saber que no dormirás a mi lado me apena y me mata. ¿Qué he de hacer? ¿Buscar a otra África que me llene el corazón y así poder olvidarte? No quiero caer en tus recuerdos constantemente, así no puedo vivir. Te pido perdón por no haberte dado mi vida, por haberte dejado marchar sin luchar. Te pido perdón... Lo siento, mi niña.

Me miro al espejo y soy un espejismo de lo que fui y de lo que seré. ¡Cómo me ha cambiado la vida sin ti, mi amor!

Una vez más vuelven los recuerdos a mi cabeza, no soporto tantas reminiscencias, estoy cansado, agotado de beber de nuestro pasado, de mi pasado...

21

RECUERDO NUESTRO PRIMER ANIVERSARIO DE NOVIOS, un catorce de abril lluvioso. No sabía qué regalarte, estaba nervioso, porque en las anteriores relaciones siempre pasé un poco de todo esto, pero no sé qué me pasaba contigo, que deseaba que llegase ese momento para sorprenderte. Pero yo no buscaba un regalo corriente, quería algo que recordaras toda tu vida.

Recuerdo que quedamos en nuestro banco, te divisé a lo lejos, tu aura era divina, estabas radiante, hermosa hasta para hacerme perder los sentidos. Nos abrazamos como si fuera el último de nuestros días... ¡Un año juntos, qué rápido había pasado y qué fácil fue estar a tu lado, mi amor!

Me regalaste una pequeña caja y yo la abrí emocionado: eran dos anillos preciosos, uno para cada uno, con nuestros nombres grabados y con la fecha del comienzo de nuestro amor. Yo te besé como loco. Pero sabía que esperabas mi regalo y yo no traía nada, te dije que no tenía mucho dinero, pero sí lo suficiente para invitarte a cenar, tú me sonreíste y me besaste y dijiste que solo querías estar conmigo, nada más, tus palabras me colmaron de amor por ti, mi vida.

Vivimos una cena regada de felicidad, brindamos con champaña, nos besamos miles de veces, ¡y cuántas veces te dije que te amaba! En esos instantes la música que salió de aquel violín me pareció la más bella que había escuchado en mi vida. Y en ese momento tu rostro brilló, como si fuera una estrella, estabas como en otra galaxia, pues el violinista tocaba el *Ave María,* tu pieza favorita. Una lágrima furtiva rodaba rendida a tu belleza y a tus ganas de vivir. Después el camarero se acercó, mientras tú secabas las gotas de la pasión que recorrían tus mejillas, y te entregó un sobre, reaccionaste sorprendida, porque no sabías qué podía contener aquel sobre, y porque ya habían sido demasiadas emociones para un día.

Cuando abriste el sobre tu cara resplandeció de alegría, aunque también delataba incredulidad por lo que leías: un fin de semana en París, dos noches de pasión en la capital francesa. Me abrazaste y me besaste tantas veces que perdí la cuenta, y chillabas loca de alegría, mientras los demás comensales aplaudían condescendientes; te pusiste la mano en la boca y sonreíste... fue algo realmente maravilloso contemplarte así de feliz frente a mí.

Todo había salido a pedir de boca. Luego paseamos abrazados bajo la luz de la luna, pensando en voz alta en los días que pasaríamos en París. Siempre habías soñado con visitarla y tu sueño se hacía realidad, yo era muy dichoso al verte tan feliz y de sentirte tan cerca de mí; todo era perfecto, y saboreé tus besos como si fuesen los últimos.

Paseamos por las calles de Huelva, silenciosas y testigos de nuestro amor, y nos dirigimos al bar 1900, inundado siempre de un bienestar matizado por la cultura onubense. Paseamos por la calle Concepción, mirando escaparates de las tiendas de ropa y llegamos hasta el bar casi sin darnos cuenta. Allí nos deleitamos con la exposición de fotos de mi gran amigo y genio de la fotografía Manuel Delgado, algo fuera de lo común, porque un hechizo rescata cada sentimiento que plasman sus fotografías. Antonio, el dueño del 1900, nos brindó su compañía y Bianca con su sonrisa envolvente, nos sirvió unas copas.

Nos sentamos a la luz de las velas, mientras dejábamos que el tiempo nos envolviera a su antojo... No parábamos de besarnos y de sonreír, la paz me embriagaba, mi amor, porque era tan feliz a tu lado, y qué sencillo era amarte y qué exuberante desearte, no quería que pasara el tiempo, solo soñaba que siempre estuviéramos así, juntos mis labios a los tuyos, y nuestros ojos ligados por una fuerza atrayente de la que ni queríamos y podíamos huir.

Apenas tuvimos tiempo para hacer las maletas, todo pasó tan rápido que no calculamos que nuestro avión a París despegaba en unas horas. Mientras preparábamos el equipaje reíamos a carcajadas, porque yo era muy torpe, pues no me cabía nada en la mochila y sin embargo a ti te sobraba sitio... Pero, ¡qué bien nos lo pasábamos!

Llegamos con el tiempo justo para el vuelo, y miramos por la ventanilla como dos colegiales, nos reíamos de todo y la gente nos observaba sorprendidos. Pero nada ni nadie nos importaba, únicamente procurábamos pasárnoslo bien, ser felices.

Un taxi nos llevó al hotel, un lujoso edificio de cuatro estrellas donde sus *suites* acogían a los más variopintos amantes.

Me acuerdo perfectamente del gesto de tu boca cuando divisaste la Torre Eiffel. Porque deseabas tanto ver tu monumento favorito que no podías creerlo. Sé que te gustaban otros, pero la torre con silueta de mujer, como yo siempre la he llamado, no te querías morir sin verla.

Después paseamos por los Campos Elíseos que se extendían desde el Arco del Triunfo hasta la plaza de la Concordia.

Pasamos un fin de semana increíble. Fue algo que nos llenó de vida, y recargamos la batería del amor, para empezar de nuevo nuestra pasión, dejando las rencillas y los malos modos que pasamos ese año diluidos en el tiempo.

Nos había resultado efímero el fin de semana, pero lo verdaderamente importante era lo fortalecido que quedó nuestro amor... Jamás podré olvidar nuestro primer aniversario, me susurraste al oído, yo sí que nunca podría olvidarte a ti, mi amor, jamás lo hice ni lo haré. El sueño eterno penetró en nuestras vidas, mientras mirábamos hacia atrás y soñábamos con volver algún día a París.

Revelamos las fotos de nuestro nido de amor y paseamos por la casa Colón, camino de la Alameda Sundheim. Subimos la calle y miramos los libros en los ventanales de la librería Siglo 21: nuestra librería soñada, donde puedes encontrar de todo con la amabilidad exquisita de sus dueños y empleados. Pasamos muchas horas de nuestra relación viendo libros y charlando con el dueño, Julio y con Marisa, Nuria, Helena, Eva y Manuel. Nos encantaba imbuirnos en todas las aventuras que encontrábamos en cada libro de la librería. Salimos de Siglo 21y nos dirigimos a tomar un café en el Two Brothers. Arantxa nos sirvió un par de cafés con su sonrisa cautivadora, el brillo profundo de sus ojos y su saber estar. Una gran amiga llena de paz y amor. Una gran mujer, sin duda...

Abriste el sobre con las fotos de París y nos maravillamos de la felicidad que existía en nuestros corazones. Cada detalle, aunque fuera ínfimo, nos apasionaba, como mi amor hacia ti. Nos reíamos de las caras y gestos que teníamos en algunas fotos, pero lo más hermoso era ver la felicidad que teníamos los dos en cada secuencia. Estabas radiante, como siempre. Cada hora que estaba a tu lado me sentía más vivo que nunca. A tu lado rocé el cielo. Ya nada tiene sentido sin ti. El café se enfría, mi amor, tómatelo...

22

LOS RECUERDOS VOLVIERON OTRA VEZ A MI CABEZA, mientras te hacían las últimas fotos. Tú mirabas a tu alrededor, buscando a los invitados, organizándolo todo. El fotógrafo te gritó porque quería que cogieras al novio para fotografiaros, y en ese momento me miraste, y delataste en tus ojos menos sorpresa de la que yo esperaba. Quizás esperabas que apareciese por tu boda. En un segundo te brillaron los ojos y se apagó tu sonrisa. Desde la otra acera, apoyado en la esquina que tanto rondamos los dos, porque ¿cuántas veces miramos desde allí la fachada de la catedral imaginando nuestra boda? Recordé que tú querías un coche negro grande engalanado de lazos blancos y las más bellas flores, y tú sabes que a mí me daba igual, yo solo quería casarme contigo, pero tú siempre fuiste muy detallista y te gustaba todo en orden, yo era distinto, algo alocado, y me gustaba más que las cosas pasaran cuando tuvieran que pasar y no forzar el Destino. Tus ojos mantenían su intenso brillo, pero a pesar de ello sonreíste cuanto yo te sonreí... porque me alegraba verte feliz... ¡tanto te amaba!, que ese era mi deseo, que fueras feliz. Por lo menos uno de los dos alcanzaría la felicidad que tantas veces soñamos que sería nuestra.

En ningún momento pensé en acercarme y amargarte tu boda, eso jamás lo haría. Tú decidiste tu destino y yo no era nadie para impedírtelo. Meramente sufría por dentro, tanto que mi corazón se contraía de dolor... Porque a pesar de los pesares, aquel día lo destrozaste por siempre jamás. Y yo seguiré a la deriva, como un zombi que ha perdido el norte y la ilusión.

Tendría que asumirlo, era la única salida que tenía para seguir malviviendo en esta vida que me había tocado vivir.

Esa sonrisa sería efímera para mi corazón, y yo querría borrarla de mi mente, pensar que no me has visto y que yo jamás te conocí. Pero los recuerdos que surgen de mi ser, cuando veo el brillo de tus ojos, son maravillosos y me colmas de amor una y mil veces. No sé qué decirte ni qué podría hacer para recuperarte, solo sé que siempre te amaré, amor mío.

Esa es mi única realidad y mi única ambición, amarte algún día para toda la eternidad... mientras te casas con otro hombre que lleva mi alianza y mi vida. Te ha engañado y me ha usurpado mi trono, te ha mentido con sus pócimas de amor verdadero, para borrar mi nombre de tu cuerpo, para que no recuerdes que existí en tu vida. Eso hace el hombre al que llamarás *marido*... solo será eso, tu consorte, porque nunca lo podrás amar como me amabas a mí.

Jamás serás feliz a su lado, porque el Destino nos pertenece a nosotros dos, él es únicamente un intruso que se ha colado en nuestras vidas y algún día lo pagará muy caro. Porque tú volverás a buscarme y en ese momento no volveré a dejarte escapar... y te amaré toda la eternidad.

No se merece tu amor, no es digno de tan alto privilegio, solamente yo me he ganado ese derecho, porque compartí día tras día tu vida, tus amores, tus odios y tus celos, tus risas, tus lloros y tus enfermedades, tus histerias y tus besos. Únicamente yo he estado a tu lado, así que algún día seremos felices... en algún lugar apartado de este mundo asqueroso y corrompido.

Jamás hubiera entrado en la iglesia y hubiera estropeado tu boda. Ni tan siquiera cuando te observé desde el coro y tú entrabas como yo siempre soñé... ¡cuántas veces imaginé ese recorrido junto a ti, mi dulce amor! Te sentí tan cerca y tan lejos al mismo tiempo, mi niña, que hasta imaginé que el «Sí quiero» que acariciaron tus labios era para mí.

Fue un momento mágico, sublime cuando oí el «Sí quiero» más tierno que he escuchado en mi vida. Lo recogí con todo mi amor y anhelo, porque sabía que me lo habías dado a mí... pero por el azar de la vida, otro hombre lo había hecho suyo, y yo sentí una tristeza que me ahogaba en la desesperación, porque no podía estar allí a tu lado, enfundado en aquel traje, y no pude cambiar aquel rostro por el mío y compartir la felicidad que tú sentías.

Tus amigos me miraban recelosos, tal vez pensaron que yo haría algo fuera de lo común, pero, ¡estúpidos!, ellos no sabían que lo único anormal de la boda era tu marido, el impostor que me había robado mi sitio, ese era el embustero de aquel enlace... ¡yo solo quería ser testigo de tu felicidad!, aun a costa de mi amargura. Tuve que marcharme, no podía consentir que siguieras tan sola, y sin opciones de defender nuestro amor, pero me sentí solo y acosado por todos, y noté que la cabeza me iba a estallar..., perdóname por dejarte sola una vez más, mi amor.

Esperé a que salieras a la calle para pedirte perdón a mi manera, con una mirada cómplice, pero cuando me miraste brilló en tus ojos la indiferencia.

Allí estaba el bastardo que te engatusó con palabras efímeras y dinero fresco.

Dejó de sonreír cuando vio que tú me mirabas. No sé qué habló con sus guardaespaldas pero sé que me darían otra paliza para que siguiera recordando quien era él y lo simple que era mi vida. Con un solo chasquido me podía matar, pero a mí eso me daba igual: ya estaba muerto sin tu amor.

El usurpador pensó en machacarme, pero tú le cogiste de la mano, le dijiste algo al oído y él sonrió. Gracias por el detalle, aunque no me salvas la vida. Ya me la quitaste. Volví a ver tus ojos de gata y tus labios trasoñados. Mis lágrimas florecieron de nuevo por mi semblante alicaído. Me quedaba sin fuerzas y sin ganas de vivir. Solo Juan me hacía la vida más soportable. Me contaba sus historias mientras yo miraba de soslayo la ventana y soñaba con amarte de nuevo.

Creo que me odiabas porque pensaste que quería estropearte el día más feliz de tu vida, pero yo pensé que ese día ya fue cuando nos conocimos.

23

NUNCA PODRÉ OLVIDAR EL DÍA QUE TE CONOCÍ, LO tengo grabado en mi corazón y parece que fue ayer cuando te vi por primera vez. Fue algo tan hermoso e imposible de olvidar, que pasen los años que pasen siempre estará en mi mente y sobre todo en mi corazón.

Este recuerdo maravilloso se repetía en mi imaginación una y otra vez cuando estuvimos separados, y ahora renace de nuevo al verte en los brazos de otro hombre.

Creo que jamás conoceré de una manera tan maravillosa a una persona como tú, mi amor.

Paseabas sola, algo emocionada por alguna circunstancia que te había ocurrido. Mirabas hacia los árboles que te protegían del sol eterno, y te acercaste al río, caminabas muy despacio, a lo lejos te vi pasar, fue algo indescriptible: de mi corazón surgió un flechazo de amor al ver tu sonrisa y sentir el brillo de tus ojos. Te sentaste cerca de la orilla y yo empecé a dibujarte, dejé lo que estaba esbozando y solamente me concentré en tu bello rostro. Mirabas al cielo, acongojada y resignada, los gestos de tu cara te delataban, y mis manos no podían parar de dibujar tus gestos, tu boca, tus dulces labios, tu manera de mirar la flor que acababas de recoger, era algo tan hermoso que tenía que pintarte costara lo que costara, y sobre todo tus ojos de gata.

Después de un buen rato me acerqué a ti y tú te sentiste incómoda, porque no sabías mis intenciones. Te regalé el dibujo y me fui. Al segundo me llamaste y me diste las gracias. No podías dejar de mirar ese dibujo, te gustó muchísimo, pues era la primera vez en tu vida que alguien te había regalado algo... y ese fui yo, el afortunado, el dichoso de captar tu corazón con mi dibujo. Charlamos unas horas y nos reímos hasta la saciedad, porque eras muy divertida y las preocupaciones habían dejado tu bello rostro y eras otra persona, feliz y jovial. Me alegré de descubrir tu verdadero yo, y me llenó de nuevo el corazón de amor, antes triste y resignado por culpa de un desamor.

La despedida fue dura porque gocé del placer de tu compañía, pero nos besamos en la mejilla y te comenté que yo solía venir todos los días por ese lugar, tú me sonreíste y me dijiste que entonces nos veríamos si yo creía en el Destino.

No pude dejar de pensar en ti toda la noche. Te dibujé un millón de veces. Había descubierto el amor y yo no lo sabía, pero me sentía el hombre más afortunado del mundo solo por haber tenido la oportunidad de conocerte.

Te esperé unos días, unas semanas, pero habías desaparecido, ¿serías un sueño que tuve en el río? Estaba agobiado por haberte perdido, por haberte dejado escapar.

Seguí dibujando en el viejo apeadero, hasta que la luz de tus ojos me hipnotizó y me volví a sentir enamora-

do. Te acercaste lentamente hasta mí, y mi corazón se ahogaba de lo rápido que bombeaba, entonces supe que me
había enamorado de ti.

Te acercaste a mí y me miraste a los ojos... una lágrima salió de nuestros corazones. El amor penetró de lleno
en mí. No había palabras, solamente gestos de complici-
dad, tú me acariciabas las mejillas, mientras yo te cogí de
la mano y salimos los dos rumbo al infinito, al sendero de la
felicidad, cerca de la eternidad y nos besamos bajo los rayos del sol permanente, sensual y lleno de vida. Algo realmente hermoso sucedió en un segundo en mi vida, algo
dulce y delicado: el placer de besar tus labios aún lo tengo
grabado en mi corazón, y no puedo describirlo con palabras, sería una ofensa hacerlo, porque fue algo mágico,
colmado de sentimientos puros e ilusiones sin fin. Aquel
fue mi momento, nuestro momento, mi amor.

Seguimos el sendero de nuestro amor perpetuo, y
nos movimos por el más maravilloso paseo que pudimos
soñar en nuestra vida, juntos, agarrados de la mano, mientras el reflejo de nuestras sombras se besaban una vez más.

Desde ese día supe que serías la mujer de mi vida y
no me equivoqué..., porque has sido y serás el amor que
me lleve a la tumba, jamás podré enamorarme de alguien
que no seas tú, mi dulce pasión.

Fue algo realmente hermoso, pues cada día nos besábamos en aquel banco bajo el embrujo del centenario árbol, el sol parecía mecernos en sus brazos y tus caricias me
sumían en la inmensidad del amor.

Tus manos eran suaves, delicadas y perfumadas de
sensaciones y emociones. El roce de tus dedos en mis me-

jillas, trasladaba a mi cuerpo una sensación de paz y seguridad inimaginables para mí. Era algo excitante tenerte cerca, mi amor. Nunca podré olvidar cada segundo que pasé junto a ti. Esta historia se la conté a Juan durante una de las muchas borracheras que cogí pensando en ti.

Él también tenía su historia de amor y quiso contármela. Por el azar o por el Destino su novia tenía tus ojos de gata. ¡Vaya! , parece que todo gira al rededor de vuestros ojos. Esta es la historia de cómo se enamoró Juan, sé que no viene a cuento pero él ha sido el único que me ha ayudado a sobrevivir a tu amor y es lo menos que puedo hacer por él: escribir sobre su amor eterno, como tú, mi amor.

Si alguna vez lo lees, piensa que el amor es único y duradero. Lástima que tú no lo vieras así.

24

EL SOL SE PONÍA SOBRE EL PALACIO DEL ACEBRÓN. LA torre se volvía roja al reflejar los últimos rayos y un mar de golondrinas jugaban a bailar con el aire sobre la fuente llena de agua pura y cristalina.

Poco a poco se podía volver a respirar después del sopor del verano. El sol nos dejaba para dar la bienvenida a la hermosa y redonda luna. Las estrellas nos saludaban y una fastuosa noche galopaba hacia nuestros corazones.

Una paloma salió de su hueco, entre los ladrillos de la torre del palacio y planeando entre las golondrinas dio una vuelta en torno a la fuente y se dirigió hacia la entrada principal. Carmen la vio pasar sobre su cabeza, cuando entraba en la mansión.

Carmen tiene veinticinco años, pelo negro rizado, piel morena, ojos ligeramente rasgados, en los que se ve una lejana mezcla de sangre árabe y cristiana.

Es delgada y muy atractiva, aunque ella no lo sepa. Durante el año vive en Madrid, pero cada verano vuelve a Huelva y pasa el estío con su padre, en el palacio del Acebrón, a pocos kilómetros de la aldea del Rocío, muy conocida en todo el mundo por la peregrinación de tantos devotos de la Virgen, justo dentro del parque Doñana a pocos kilómetros de la entrada.

Majestuoso se haya este palacete, con una fauna y una flora inmensa y muy hermosa. El padre de Carmen es el mayordomo de la casa. Persona honesta y cualificada, llevando muchos años al servicio del señor de la casa.

La hierba de la era está dorada, aplastada y seca del calor, mientras mira al sol y observa como se está poniendo por la encinas de la finca. el cielo se pone de colores turquesas y naranjas. Unas hormigas marcan la senda del camino. Una noche calurosa, quizás demasiado calurosa para finales de mayo.

Hacía más de una hora que la fiesta del palacio había empezado, tras un pequeño retraso por problemas con la electricidad.

Juan acababa de llegar al pueblo, después de muchos años estudiando, pasaba un verano con su padre en el palacio. Se sentía feliz, respirando aire puro y limpio.

Estaba de nuevo en casa...

Mientras hablaba con los invitados de la fiesta, se percató de unos ojos de gata que asomaban por la puerta del servicio. Duró apenas un parpadeo, no podía asegurarlo. No sabía quién podía ser esa forastera.

La aldea del Rocío apena se entreveía entre los árboles y las sombras, a ratos un foco del palacio chocaba con sus andas. Carmen levantó la cabeza. Se veían miles de estrellas en el cielo, entre las ramas de los árboles, bajó su mirada hacia la fiesta. Sus amigas del pueblo seguían conversando. Pasaba de historias, era como un zumbido molesto para sus delicados oídos. Observó un grupo de chicos, los conocía de vista. Había uno que no reconocía. Le hizo gracia, parecía tan aburrido como ella. Le miró un segundo, en ese instante su padre la llamó, se giró hacia la voz y aterrizó en la tierra.

El abrazo de miradas se deshizo en el aire.

En medio de la fuente del palacio había mesas y sillas, llenas del frescor del agua y la pasión de la noche. Carmen y sus amigas bebían y se dejaban llevar por el sonido de la música que sonaba, junto a ella se sentó la patosa del grupo.

Pasara lo que pasara, estuviera donde estuviera, no había noche que no tirase algún vaso al suelo...

Se acordó de la fiesta del año pasado. La patosa hizo de las suyas, sonrió.

Sonaba la música, y el mismo aire que segundos antes había pasado por las eras, atravesó la placita. Se dejó llevar por el ritmo de la canción y el viento dulce en la noche de palacio. Cuántas veces había recordado esos momentos en su casa de Madrid, perdida en el sillón de su cuarto, pensando en un amor que deseaba y no encontraba.

La orquesta llevaba tres horas tocando. A las más mojigatas de la fiesta, les daba vergüenza o la risa tonta. Siempre había alguna, ya demasiado bebida, que ayudaba a la música con sus gestos.

Carmen se sentía bien y movía ligeramente su cuerpo, de reojo observaba a los chicos. Los miraba mal, eran unos pesados. Solo miraban su trasero y sus pechos. No eran capaces de mirarla a los ojos de gata, y eso lo odiaba.

Una de sus amigas se acercaba hacia ella con tres vasos de bebida. De golpe tropezó, justo a un paso de ella, apenas le dio tiempo suficiente para apartarse de su trayectoria. Al chico que estaba detrás ni eso. Su espalda acabó empapada, se giró de golpe y su mirada se juntó con la de Carmen, por segunda vez en la noche. Iba a decir algo, ella lo notó, algo malo, pero se quedó callado, mirándola a los ojos. Ella se sorprendió, hacía mucho tiempo que ningún chico la miraba fijamente. Él se quedó sorprendido. Hacía tanto tiempo que no miraba a una chica a los ojos. Hasta la música parecía que se había parado. Durante unos segundos algo sucedió. Solo ellos lo notaron. Fue real. El tiempo se paró. No corría en sus miradas. Tras darse cuenta los dos sonrieron. Él se puso colorado. Ella se recogió el pelo y la música de la orquesta siguió sonando. Jamás se paró... ¿O sí?

Carmen volvió a la realidad. Agarró su vaso y brindó con sus amigas. La música se detuvo, las últimas golondrinas, ya casi en silencio, se alejaban entre cantos, volando en la oscuridad, mirando al horizonte, sobre el palacio.

Carmen vio una estrella fugaz. Sus ojos de gata se abrieron y pidió un deseo.

Su mente voló y se transformó en un ángel, lleno de paz y amor.

Era ya noche cerrada, cuando Juan y sus amigos bajaron hacia el lago. Iban bastante pasaditos de copas y por eso Juan se sentó un instante a ver el lucero del alba, que es la primera estrella que se ve en la noche y la última en verse en la mañana. En realidad no es una estrella, se trata del antiguo planeta Venus, la diosa del amor. Durante unos minutos observó las estrellas y el oscuro horizonte. Una estrella fugaz atravesó el cielo. Pidió un deseo. Sus recuerdos volaron con la estrella.

Tras derramarle los vasos encima, Juan estaba empapado. Debería estar enfadado, pero no, solo veía unos ojos de gata. La camisa estaba indecente, por suerte tenía una camiseta en el coche, que dejó olvidada allí unos días antes.

En la verbena, Carmen seguía bailando con sus amigas, pero no estaba muy atenta, la verdad, les dijo a sus amigas que volvía enseguida y se fue a dar una vuelta por los alrededores del palacio. Había bebido demasiado y necesitaba que le diera el aire y pensar en silencio. Bajó hasta el aparcamiento de coches y entonces vio a un hombre poniéndose una camiseta. Su cabeza asomó por el cuello de la camiseta y unos ojos la miraron.

Juan se estaba poniendo la camiseta. En cuanto asomó la cabeza vio que alguien venía y unos ojos de gata se clavaron en los suyos. Estaban a unos metros y los dos sonrieron. Tenían que decir algo...

—Con lo guapo que venía, ahora con esta camiseta cutre no me va a querer nadie —musitó Juan.

Ella le pidió disculpas. Empezaron a charlar. Se miraron a los ojos, ella estaba sorprendida, una vez más, de que él la mirase a los ojos y no a otras partes de su cuerpo. Él estaba sorprendido de estar mirándole a los ojos y no a otras partes de su cuerpo. Se dieron dos besos. Sabía que le era familiar, pero no sabía qué podía ser.

Hablaron de sus gustos, de música, de libros, de la gente del pueblo, de las estrellas. A los dos les gustaba el firmamento. Venus estaba ya desapareciendo del cielo, en ese momento, mientras los dos miraban las estrellas, en un segundo de silencio que tuvieron, un halo fugaz cruzó el cielo ante ellos. Abrieron los ojos y sonrieron. Se miraron el uno al otro. Pidieron un deseo, el mismo deseo. Sus labios se juntaron, se fundieron en uno solo y la música volvió a latir dentro de sus corazones. Algo hermoso rodeaba aquel palacio, antes triste y solo.

Se miraron en silencio y en ese silencio muchas canciones de la orquesta, muchos deseos y de fondo sonaba, entre tantos deseos, recuerdos y sueños, la canción, su canción: *Ojos de gata,* de Los Secretos.

Las ramas de las encinas y el cielo se convirtieron en techo. La tierra fue el colchón más maravilloso jamás visto por dos amantes. Sus ojos de gata se clavaron en su alma. Juan besó su cuello, como buen sagitario, mordía a sus parejas, sentía que así sería más suya. Ella gimió suavemente. Sus ojos brillaron bajo las estrellas...

Sus deseos se estaban haciendo realidad al son de la música.

Él desabrochó suavemente su blusa y le besó sus pechos. ¡Qué bien olían! Estaba soñando. Ella le quitó la camiseta. Besos suaves, el cuello, el pecho.

¡Qué fuerte era! ¡Qué bien olía! Su lengua rodeó el ombligo de Juan.

Suavemente los pantalones de ella se deslizaron por el suelo. Los de él, los desabrochó ella en un momento. Él ni se dio cuenta. La ropa interior de ambos jamás fue encontrada. Desnudos bajo las estrellas la orquesta cantaba una de Sabina...

«Yo quería dormir contigo y tú no querías dormir sola...»

Él estaba sobre ella, sus ojos clavados en los ojos de gata de Carmen, al tiempo las manos de Juan recorrían cada milímetro de su cuerpo, con tal suavidad que a ella le producía una mezcla entre cosquillas y excitación tremenda.

Sus cuerpos se unieron lentamente. Se besaban. No salía de sus bocas ni una sola palabra...

Sin embargo sus ojos estaban gritando. Tenían que ser uno solo. Lo serían siempre y lo sabían.

Sus cuerpos bailaban unidos al ritmo de la música. La turgencia de la luna los miraba. Sus cuerpos sudaban y eran recorridos por los labios trasoñados del otro.

Las estrellas fueron mantas para los dos amantes. Se amaban pero no podían decírselo. Se separaban por la mañana. Del cielo al infierno en un solo día.

Se miraron a los ojos, se besaron y desnudos, tendidos sobre una tierra húmeda de sudor, miraron al firmamento.

—Habrá otra estrella fugaz —le prometió.

—La habrá —juró ella.

Caminaron hasta la puerta de la discoteca y un halo de luz iluminó el cielo.

—¿La viste? —preguntó ella.

—La vi —respondió él.

Sus ojos se clavaron. Los ojos de gata de ella, la mirada de él, en el alma de ella, la esencia de ella, en el corazón de él, el alma de él en el cuerpo de ella y el cuerpo de ella vibraba con el de él.

Se besaron como si fuera la última vez. Todos les miraron extrañados. Se agarraron de la mano, sonriendo. Estaban llorando. Se miraron a los ojos y corriendo se perdieron en la dulce oscuridad, camino de los olivos, de las estrellas que serían su techo una vez más. De la cama de tierra, de los ojos de gata, de la música que el mundo cantaría solo para ellos esa noche.

Al día siguiente entraron de la mano en la plaza. Nadie les volvió a ver la noche anterior.

Los abuelos les miraban desde la fuente. Los grupos de jóvenes forasteros y locales. Les miraban ambos. Un mar de susurros recorrió la plaza. Miradas, comentarios...

Se detuvieron un instante, se quedaron quietos frente a frente. Se miraron a los ojos durante varios segundos, sonrieron, se besaron y les costó soltar sus manos.

Juan fue con sus amigos. Tenía muchas preguntas que responder. Carmen se fue con sus amigas. Tenía mucho que contar y muy poco tiempo.

Unas horas después, los dos tenían una cita en el olivar. Al atardecer, mirando a Venus, esperando que la noche les esconda bajo un manto de estrellas.

Así me contó Juan su historia y así lloramos los dos, desconsolados por un amor perdido, por unos ojos de gata. Su novia falleció en un accidente de trafico y tú casi te vas al cielo por lo mismo, cuánto os parecéis, mi amor.

Todavía recuerdo todo lo ocurrido como si fuera hoy mismo. Se me ponen los vellos de punta de solo recordarlo:

Todo ocurrió tan deprisa que casi no nos dio tiempo ni a sentarnos en el coche.

Un borracho se saltó un semáforo en rojo y chocó contra nuestro coche de tal manera que lo empotró contra tu puerta. Después de unos segundos de estruendo y aturdimiento, te miré y vi tu rostro, bello y hermoso, sucumbiendo al sueño eterno de Morfeo. Te zarandeé gritando que no me dejaras solo y abandonado. Lloraba y gemía, como un loco, hasta que abriste lentamente los ojos y me dijiste que no podías separarte de mí. Te abracé hasta que llegó la ambulancia y te llevó al hospital donde te hicieron infinidad de pruebas. Todo se quedó en un susto. Mientras dormías profundamente, en la habitación del hospital, yo te miraba y las lágrimas fluían de mis ojos al contemplar tanta belleza. Era feliz al saber que no me abandonabas y seguirías a mi lado el resto de la eternidad.

Siempre estaría a tu lado, te repetía mientras te cogía de la mano y la acariciaba, besándola a ritmos pausados. Abriste los ojos de gata y me sonreíste con esos labios que me hacían morir de amor. Todo lo hubiera dado por ti, incluso la vida. Solo quiero que seas feliz, te decía y te refrendaba hasta la saciedad.

Ahora te digo lo mismo, solo quiero que seas feliz y si es a costa de mi infelicidad así lo acataré, porque por lo menos uno de los dos es dichoso en esta puta vida. Por eso cuando estaba alejado de ti, me sentía enfermo, loco, por no poder tener tu amor. Todavía recuerdo episodios vividos por los dos mientras veo como te haces las últimas fotos junto al ogro que te hará la vida infeliz. Yo me quedo aquí, recordando...

25

EL DÍA QUE NO TE VEÍA, LA SOLEDAD SE APODERABA de mí, no podía vivir sin ti, mi niña. Hasta ese día no comprendí cuánto te amaba. Te sentiste mal y tuviste que ir al médico, tenías fiebre y te recomendó mucho reposo. Fue una semana triste llena de sinsabores, porque no sabía cómo te encontrabas, y me daba reparo ir a verte a tu casa, solo llevábamos un mes saliendo, aunque para mí es como si nos conociéramos de toda la vida. Lo nuestro parecía inmortal, pleno de vida. Te dejé una carta en tu buzón. Yo te esperaba todos los días en nuestro banco, lamentándome de mi mala suerte y triste porque seguía sin saber de tu estado de salud. El agobio me quemaba por dentro, hasta que un día apareciste y mi sonrisa catapultó todo el amargor que llevaba dentro. Tú corriste hacia mí y yo solamente podía mirarte y llorar de emoción. Te esperaba con los brazos abiertos, llegabas tan hermosa y tan radiante, que yo me consideré una especie rara a tu lado. Me besaste y traías mi carta en tus manos, me dijiste que la releíste miles de veces y que te había consolado el corazón. Aquel momento fue sublime e inigualable. Siempre soñé cómo sería ese momento, pero jamás lo imaginé como realmente sucedió.

Nuestro amor era muy fuerte y eso me gustó, y hasta ese día no supe que eras la mujer de mi vida y nunca me cansaré de repetirlo... porque es lo que sentí y siento en mi corazón.

Supe que jamás podría enamorarme de nuevo si tú no existieras, no sabía qué sería de mí sin ti. Eso pensaba mientras sonreía a tu lado, y eso pienso ahora aunque mi sonrisa desapareció el día que me dejaste.

¡Era tan hermoso estar a tu lado!, que nada parecía complicado.

A ti te encantaba recitarme poemas y cartas que tú escribías, sé que te hubiera gustado publicar un libro con ellos. A mí también me hubiera encantado publicar otro, incluso tenía un título para ti, mi amor, *Si te digo que eres todo para mí,* este sería el título de un libro de amor para ti, mi niña, y sus páginas arderían de pasión, y rezumarían ternura y sensibilidad.

Todo sería poco para ti, ahora que había conocido el verdadero amor a tu lado. La vida es así, unos ganan y otros pierden como yo; pero tengo que continuar, mi niña, aun sin ti, otra cosa no me queda...

No sé qué me deparará la vida. Solo me consuela el alcohol. Es lo único que me hace salir del pozo eterno. Juan me ayuda y me protege. Soy su familia y él la mía. Lástima que tengamos los dos que mendigar un amor que no nos corresponde. Tú porque querías la posición antes que la pasión, y la novia de Juan porque buscó la soledad eterna dentro de un ataúd que no le correspondía por la edad. Me cuesta mucho escribir. Perdóname si ves restos de amargor e inquina en mis palabras pero ahora no puedo pensar lo que escribo, solo lo hago y ya está. Me desahogo en estas hojas níveas con pinceladas de lágrimas de tu sonrisa efímera que muestras en la iglesia. No dejo de mirarte, no puedo, la verdad.

26

VERTE TAN CERCA DE MÍ Y NO PODERTE ABRAZAR ES una crueldad que corroe mi corazón, la vida que me espera será muy difícil, lo sé de sobra, pero tenía que verte por última vez, mi niña y desearte lo mejor de la vida y... soñar con volver a besar tus dulces labios y revivir aquellos mágicos tiempos a tu lado.

Sabía que recordar me haría daño, eso lo tenía asumido, pero una vez más, todos los momentos maravillosos que pasamos juntos vuelven a mí. Te veía tan cerca y a la vez tan lejos, amor mío... no sabes las ganas locas que tuve de abrazarte y de fundirme en tus labios con mis besos y gritarte cuánto te quiero... pero solo lo pensé, no podía hundir tu mejor día, mi niña... aunque alguna parte de mí lo clamaba, pero otra seguía siendo simplemente yo.

Un nudo en la garganta me ahogaba cada vez con más ansia, no podía soportar ver a ese hombre sonriendo a tu lado y... siendo feliz, fue algo que detesté y que me humilló. No te conocía y jamás lo hará, no podrá saber todo lo que te gusta y deseas de la vida, pero él tiene suerte, se ha llevado lo mejor del pastel: tu corazón. Aunque yo no esté tan seguro de eso, porque veo cómo me miras, cómo me deseas, y sé que piensas que me hincaré de rodillas ante ti, suplicando perdón... pero ya es tarde... tienes... tienes marido y no soy... no soy yo... Siento todo esto mi amor, sabes que jamás te haría daño.

No puedo dejar de mirarte, siempre recordaré estos segundos y sé que me atormentaran en el futuro, pero yo soy así... un despojo de ilusiones y frustraciones...

¡Y sigo mirándote, no puedo remediarlo, mi corazón no quiere dejar de hacerlo!

Solo y olvidado, recuerdo momentos inolvidables de nuestro amor, cierro los ojos y parece que estás a mi lado, como aquel día que compartimos nuestras vidas con aquella graciosa perrita, una peculiar compañera de viaje que te hizo feliz durante mucho tiempo, mi amor. Sé que la sigues recordando... es lo mismo que me pasa a mí, que te sigo recordando con la misma felicidad de siempre, mi niña. La memoria no nos falla, aunque muchas veces queramos olvidar todo lo que fue, como parece que haces tú, aunque sé que es imposible que olvides todos nuestros sueños y nuestras andanzas, imposible.

A mí también me gustaría olvidar, pero lo he vivido junto a ti y no se merecen esos recuerdos ser borrados aunque me cueste la vida recordarlos.

Todo carece de sentido, he pasado la vida pensando que te perdería, aún en los momentos felices sabía que te iba a perder. Maldita premonición...

Muchas veces he tenido el deseo de morir, pero nunca como ahora, mi amor.

El tiempo pasa indiferente a mí. Cada día sueño con tu regreso mientras me consumo en el sofá de nuestro amor. Me queda el vacío, solo eso.

27

EL DÍA ERA MUY LLUVIOSO Y NO TRAÍA BUENOS PRESA-
gios, yo tardaba mucho en llegar y tú estabas preo-
cupada, hasta que oíste las llaves y te dirigiste a la
puerta de casa, ibas a recriminarme lo que había tardado,
cuando viste que traía acurrucado en el chaquetón un cachorro de pastor catalán. Y mientras una sonrisa volvía a
iluminar tu cara, preguntaste por el perro y te comenté
que lo iban a sacrificar porque el dueño no podía hacerse
cargo de tan grande camada, yo sentí lástima al ver su ca-
rita y no consentí que muriera. Me abrazaste y me besaste,
estabas muy contenta, mientras el cachorrillo te lamía ca-
riñosamente y pedía a gritos una oportunidad a nuestro
lado. Lo acariciabas mientras le preparabas un poco de
leche, ¡se te veía tan feliz y tan dichosa! Eras buena sama-
ritana y deseabas que ese cachorro no sufriera. Pensaste
en muchos nombres, pero te gustó Kira, un bonito nombre, mi amor. Era tan adorable como tú, desde esos momentos fuisteis inseparables. Ella dependía de ti y tú de
ella, erais como madre e hija, amigas, confidentes. A me-

nudo te oía hablar con ella y eso a mí me parecía delicioso. Ella siempre estuvo a tu lado, jamás en mi vida supe de una perra tan buena, hasta el día de su muerte. Porque solo lloraba por ti, porque ella sabía que se iba, pero no quería que tú sufrieras. Te amaba más de lo que nadie podría imaginar. Tu perra, la nuestra, murió feliz, llenando nuestras vidas de felicidad durante muchos años. Tu Kira, como la llamabas, siempre te estará agradecida por lo que te sacrificaste por ella. Porque Kira sabía todo el amor que sentías por ella desde el día que apreció en nuestra casa. Y desde el cielo sabe que cada día que pasa la echas de menos, como yo.

Solo de pensar en ella siento las lágrimas correr por mis mejillas, porque para nosotros no fue solamente un animal, fue mucho más importante, fue como una hija, una más de nuestra morada, alguien con quien podíamos desahogarnos. Y ella únicamente nos miraba con paciencia y ternura, como sintiendo que en ese momento nos hacía falta su calor. Jamás nos defraudó, eso fue lo más importante, siempre se mantuvo fiel a nuestro lado.

Siempre me acordaré de ti, Kira, jamás podré olvidarte, mi amor, y sé que a ti te sucederá lo mismo, en eso siempre estaremos de acuerdo, mi niña...

Lloramos mucho en el entierro de nuestra perrita. La enterramos cerca de casa, en la playa por la que tanto le gustaba pasear y correr a su antojo. Cada día te sentabas a su lado y le hablabas como si estuviera viva, y yo te observaba desde lejos y sufría contigo, pero era mejor que te desahogaras junto a ella... Un suspiro salió de tu corazón, mientras Kira te llamaba en tus sueños...

28

AÚN RECUERDO EL FINAL DE TU CARTA, ME PEDÍAS que desapareciera de tu vida, que no te molesta-ra, que todavía me amabas, pero que lo nuestro era imposible. Que te ibas a casar con un buen hombre, algo mayor que tú, pero que tenía buenas intenciones, era atento, sofisticado y amable, un porvenir extraordinario al que no podías renunciar; y te había pedido matrimonio, cosa que yo nunca hice.

Me pediste que no te hablara más, porque eso altera-ría tus planes, y me rogaste que no te hablara de mis sen-timientos y que no te pidiese nada. Incluso me rogaste que no te llamase por teléfono, que él era muy celoso y no que-ría ni que hablara contigo... Algo sabe de nuestro pasado y no lo quiere en vuestro presente.

Al recordar tus palabras me lleno de indignación, el celoso era yo pues te habías acostado con otro, y te ibas a casar con él y tu corazón ya no me pertenecía. Y tú estarías en el banquete nupcial junto a ese impostor, en vez de hacer-lo a mi lado, y hablaríais con la gente y recibiríais las felicitaciones que deberían ser para mí... pero claro, yo nunca estaría allí. Nadie se acordaría de mí y jamás podría partir contigo la tarta, ni besar tus labios maculados de dulce, ni sentirte dentro de mí una vez más, ni tener hijos, ni vivir juntos para siempre... ¿o tal vez sí...?

Bailarías nuestra canción abriendo el baile de la boda, y le sonreirías a él en vez de a mí, y cruzaríais el umbral de la puerta, tú acostada en sus brazos, y yo no podría hacer nada para impedirlo... Él sería tu hombre de privilegio y yo quedaría en un segundo plano, olvidado y repudiado.

Él te haría el amor la noche de bodas y yo estaría oculto, entre tus sombras, despertando tus pesadillas de amor eterno... Desaparecido de tu vida y con un destino incierto.

Solamente de pensarlo se me hiela la sangre. Cómo nos ha cambiado la vida, amor mío... ya solo me queda tu mirada y tus recuerdos esparcidos en nuestra casa, lo demás se lo entregas a otra persona... ¡no me has dejado migajas para comer de tu amor! Todo me lo has arrebatado, buscando tu futuro prometedor. En donde no habrá agobios económicos y tendrás resuelto el porvenir de tus hijos y de tus nietos.

Has cambiado nuestra vida de amor y felicidad por un contrato de bienestar social y económico. Y dormirás al lado de un hombre que se despertará cada día preguntándose si aún me amas y quizás viendo en tu rostro que no puedes olvidarme... ¿O quizás te lo preguntes tú y no des crédito a tu situación? Porque estoy seguro que el hombre al que amas soy yo y no ese marido tuyo.

Podrá poseer tu cuerpo, pero jamás destruirá el sentimiento de tu corazón, eso vivirá intacto hasta el día que vuelvas a mis brazos... junto al dibujo que te regalé el día que nos conocimos... Ese día volveremos a ser felices. No sé cuándo llegará, pero lo que sí sé, es que te esperaré.

Pese a todo no pude dejar de ir a tu boda, sabiendo el daño que me haría. Soñé tantas veces con ella, que una parte de la ceremonia formaría parte de mí.

Pero si me mantuve en silencio, fue recordando cada paso, cada beso, cada lágrima y cada sonrisa que compartimos juntos. Mientras tú hacías realidad tu parte junto a otro hombre... ¡qué injusta era la vida para mí! Yo te amaba y te casabas con otra persona, que te poseería y tal vez te haría feliz, y yo en cambio me quedaba solo, con tus recuerdos, con tu ausencia, llenando tu abandono con falsas esperanzas, para no despertar a la realidad y ver que ya no estabas a mi lado, que ya no existías para mí, que te perdí de verdad y que jamás volvería a encontrarte. ¿Cómo te engañó al que tú llamarás *marido?* Todavía no entiendo cómo te has dejado engatusar por un tipejo como ese. Tendrá un aspecto impoluto por fuera, pero por dentro es una sabandija llena de rencor y odio.

Cuando supe con quien te casarías hice muchas averiguaciones pero tú no quisiste oírme. Creías que me había inventado una parte de su vida que tú no sabías, o él no te quiso contar. Todavía recuerdo como me diste una bofetada y me tiraste los papeles a la cara cuando intenté explicarte con la calaña de persona que te ibas a casar. Me insultaste, me odiabas, me decías. Yo salí cabizbajo y llorando. En ese momento supe que te había perdido de verdad y que nada ni nadie te haría cambiar de opinión. Querías la felicidad a toda costa y te cegaste ante el primer hombre que no era yo. Lástima, amor mío. No creo que seas feliz, pero si sé que serás una buena esposa y una buena madre.

Deberías pedirle explicaciones de cómo amasó su fortuna siendo solo un pasante de abogado; pero bueno, yo no soy nadie para meterme en tus asuntos, como tú me dijiste. Solo te pido que si alguna vez estás en peligro me busques. Yo iré a rescatarte enseguida. La vida de tu presunto marido es muy curiosa, pero bueno, sé que algún día lo sabrás todo, yo no soy nadie para decirte la verdad sobre él, ni siquiera quiero seguir hablando de alguien que no tiene importancia.

Ten cuidado, mi amor, los negocios poco fiables de tu ogro pueden llevarte a ser una desdichada, aunque yo creo que ya lo eres, por estar con él y no conmigo.

29

NO TE ESCRIBO ESTA CARTA PARA REPROCHARTE NA-
da, ni tan siquiera sé si la leerás algún día... Vi
como me mirabas en las escaleras cuando te foto-
grafiaban, muchas veces vi en tus ojos esa altivez al mirarme. También vi que llevabas la vieja pulsera que te regalé
aquel día en la playa, sobre la que juraste que no te quitarías mientras me amaras. La deseabas con tanto anhelo
que se reflejó en tu sonrisa cuando el vendedor te la enseñó. Recuerdo que no llevábamos dinero y tu desilusión
fue enorme, porque te habías enamorado de ella. Nos ale-
jamos paseando hasta nuestra casa. Cuando entré yo fingí
haberme olvidado en la arena mis llaves. Corrí todo lo que
pude, como alma que lleva el diablo, y encontré al vendedor y te compré la pulsera, la escondí y la coloqué en tu
mesita de noche.

Nos acostamos pronto porque estábamos cansados
del día de playa, y vi que te acercabas a la mesita a recoger
tus gafas para leer un rato, tu impresión fue deliciosamen-
te adorable, tu gesto de sorpresa, de emoción y de alegría

bien mereció la pena la carrera que me dejó agotado. Me besaste una y otra vez, entonces me juraste que nunca te la quitarías, sería el símbolo de nuestro amor y de nuestra pasión. Me volviste a besar dulcemente y nos sumergimos en el amor... Eras feliz, muy feliz. Yo me quedé extasiado de recibir tanto amor y tanta dulzura de tus labios. Eran enormes fuentes de felicidad absoluta, no podía dejar de amarte, ni siquiera ahora cuando veo la pulsera insinuante en tu delicada muñeca. Sé que me das una señal, que te has arrepentido de casarte con ese hombre, tu mirada lo delata, tu mano trémula refugiándose continuamente en la pulsera lo insinúa... pero yo me quedo solo, con estas lágrimas de impotencia, porque no me atrevo a cruzar la calle que nos desune y lanzarme a por tus besos y contarle a todo el mundo que nos amamos.

¡Qué difícil es todo esto, amor mío, por qué he de sufrir tanto, incluso en el día de tu boda! Siempre soñé que sería hermoso, pero me equivoqué... es mi entierro, mi sepultura en vida. No sé qué pasará, quizás es mejor no saberlo.

Vi a quien iba dirigido el «Sí quiero», y quise viajar en el tiempo a nuestros sueños... Pero tú decidiste alcanzar tu matrimonio con alguien que se ajustara a tus aspiraciones, y ahí no encajaba yo. Aceptamos mutuamente nuestros errores... solamente puedo desearte felicidad eterna... ¡junto a mí!

Espero que algún día la logremos. Dejé de mirarte, sé que tenías que entrar en el coche de recién casados y brindar con nuestro champaña por el feliz desenlace... No te manches, cariño mío, pues no estaré allí para absorber las burbujas de tus labios.

Suerte en tu vida, te echaré de menos, aunque sé que no me abandonas del todo, pero sí sé que tardaremos en volvernos a ver. Pero te esperaré, eso sí es seguro.

Seguiré sentándome en el viejo banco del parque, desde donde te escribo estas palabras, en donde tantas veces nos sentamos y nos amamos.

No sé si las he escrito bien o mal, pero sí sé que están escritas con mi corazón, aunque esté destrozado y dolorido. Estas duras declaraciones las guardaré en el viejo árbol. Si algún día regresas te las dejaré leer y recordaremos los viejos tiempos; y estaremos por fin juntos, unidos de nuevo para no separarnos más.

Nuestro viejo banco es testigo de todo mi rencor, amor y odio hacia ti. Todos los días vengo un rato a la misma hora a la que solíamos quedar. Me siento aquí haga el tiempo que haga y sea la época que sea. Todo por acariciar nuestros nombres grabados, sobretodo el tuyo...

Decidiste cumplir tu sueño personal y espero que tengas suerte y encuentres la felicidad que solamente sentiste a mi lado. Como tú siempre me decías: no sabrás más de mí, pues tú ya sabes donde yo estoy, en el viejo banco. Y cuando me necesites, si deseas encontrar otros sueños, los que en vez de hacerlos solo tuyos eran nuestros, ya sabes donde estaré, pase el tiempo que pase, a la hora de siempre te esperaré con los ojos cerrados y trayendo al presente lo que ya pasó, y que para mí es eterno. Si vienes y no me ves, será porque he muerto, pero aun así, seguiré amándote desde la eternidad.

En mis fantasías y en mis deseos tus sueños siguen siendo nuestros. Suerte, África, jamás dejaré de amarte, te espero en la eternidad, nunca dejaré que salgas de mi corazón.

Sé que me quedo sin ti y quiero morirme lentamente. No sé qué será de mí sin ti. Intentaré vivir el día a día y quizás comenzar una vida nueva. Pero aunque alejado de tu amor para siempre, regresaré cada día a nuestra cita de amor, y algún día volveré a verte y por fin seremos felices, mi dulce amor.

Termino esta triste historia pensando en que algún día nos encontraremos. Te dejo un poema, sé que me lo pediste siempre, que deseabas que te escribiera algo algún día, como aquella carta que te enamoró cuando estuviste enferma. Tal vez lo tenía que haber hecho antes, pero nunca es demasiado tarde... ¿o sí? Espero que te guste y que algún día lo puedas leer. Te amo, te amaré y jamás te olvidaré, mi amor.

TE BUSCO

Camino por el bosque, ante el sollozo de los árboles
que se estremecen ante estos amantes,
camino rápido para borrar las huellas del pasado,
y buscando entre las sombras no te he encontrado.
Me detengo a descansar rodeado de recuerdos,
que llenan mi ser, mi corazón y mi lamento,
corro hacía esa luz, que no me ciega,
pero que no me deja ver,
llego hasta ti, pero no te puedo querer.
Te busco, no hay manera de encontrarte,

la verdad es solo amarte,
como hice la primera vez,
te busco, ni siquiera me llenaste,
la verdad, he sido un amante,
que naufraga sin tu querer.
Ahora despiértame,
de este sueño, por favor,
que no me creo que me estén sucediendo,
estos ratos malos del amor,
porque yo a ti, aún te sigo queriendo,
ahora, cuéntame que todo es mentira,
que era un sueño mientras dormía,
porque la vida no me puede arrebatar
a la niña de mi vida.
Te quiero mi amor...

VOLAR LIBRE

Una mirada bastó para saber que eras la niña que yo
                                        [imaginé,
tanto te quería que nunca pensé que tu adios me haría
                                        [enloquecer.
Un duro golpe rompió mi corazón,
y me quedé sin ella,
sin decirle amor.
Y yo me pregunto:
¿Por qué esa nube gris no ha parado de seguirme?
Yo creo que es el fin,
lo nuestro es imposible.

Aquí hay un lugar donde duermen los corazones,
lo tendré que despertar
para decirle mil razones.
Mi alma ya no quiere unirse por amor,
solo quiere ser libre y volar hacia el adiós.
Tú vuelves a decirme bajo un color oscuro...
Yo veo otro color, será que no hay futuro.
Mañana amanecerá y ya no estaré a tu lado,
amaneceré en otro lugar y mis huellas se habrán borrado.
Seguiremos por los senderos del amor.
Yo por el mío...
tu por el tuyo...
Que tengas suerte, corazón.

30

DESPUÉS DE VERTE PARTIR EN EL COCHE HACÍA TU nuevo futuro, salí como alma que lleva al diablo calle abajo, gritando y llorando. No paré de correr hasta que el último aliento me dijo basta y caí de bruces al suelo. Gemía y pataleaba como un niño pequeño. Te odiaba y no quería que mis recuerdos me siguieran martirizando. Entré en un bar y no paré de consumir hasta que de una paliza me sacaron a la calle y me tiraron al suelo porque me olvidé la cartera en casa.

Como pude me levanté y me fui a la playa, que estaba cerca de allí. Casi a rastras logré llegar y me tumbé cerrando los ojos mientras te veía reír y bailar en el banquete nupcial. La sangre se entremezclaba con las pocas lágrimas que me quedaban de tu recuerdo inmortal. No paré de vilipendiarte hasta que unos chavales pasaron por mi lado y me miraron con pena y lástima. Intenté levantarme y pegarme con ellos y así buscar la forma más rápida de morir, pero ellos no quisieron y me dieron a cambio un líquido que entró en mis venas y me calmó. Dejé de pensar en ti y en todo lo sucedido. Era algo mágico y tenía que seguir con ello. Era la única forma de olvidarte.

En poco tiempo me convertí en un drogadicto. Juan se dio cuenta rápidamente ya que él también había caído en esa pócima de dolor. Intentó ayudarme pero yo me fui antes de que él me pudiera auxiliar. Desde ese momento fui un muerto en vida que solo buscaba un chute para olvidarme de ti.

Deambulé durante muchos meses por las calles de Huelva desaliñado, enfermo e hipnotizado por la droga. Te había olvidado por completo, eso era verdad, pero a cambio había pagado un alto precio: había renunciado a vivir.

No sé ni cómo fue ni en qué momento, en un trozo limpio de mi corazón, volvió tu silueta de amor y unas pocas lágrimas que quedaban del bazuco respiró aire limpio. ¡Hacía tanto tiempo que no te veía! Me miré en la cristalera de una tienda y vi que habían usurpado mi cuerpo y que al otro lado del espejo había un demonio que no quería saber nada de ti, solo de la droga.

Cogí una piedra y rompí el cristal. El sonido de la alarma me hizo despertar de un mal sueño y corrí lo más rápido que mis doloridas piernas, por tantos chutes, me dejaron. Fatigado caí de bruces contra el suelo. De cuclillas respiré, dos o tres veces, mientras te volvía a ver de nuevo en mi mente y en mi corazón. Desde ese momento supe que quería volver a sufrir de amor y salir de la mierda donde me había metido.

Fue muy duro desengancharme. La droga me llamaba, quería poseerme.

Me decía: «Eres mío, no puedes dejarme así, no te escaparás de mí tan fácilmente», pero yo no deseaba volver. No quería escucharla nunca más. Me había matado y por culpa de ella jamás volvería a sonreír ni a ser yo mismo.

¡Cuántas noches pasadas a la intemperie! Lloviendo, con viento, sin ropa para abrigarme, ni nada para comer... Antes drogarme que llevarme algo al estómago.

Tengo marcas por todo el cuerpo. Mis cicatrices reflejan mi ser dolorido y me enseña que no debo olvidar todos los sinsabores que he tenido en esta mísera existencia. Cada día que despertaba, si realmente había dormido algo, solo pensaba en mi posesión más diabólica. Estaba totalmente hechizado por ella. Había pasado de tu amor al de la jeringa. No sé cuál de los dos era más mortífero. Todas mis vivencias recorridas a tu lado pasaron a un segundo plano.

Solo existía la dosis diaria. Nada más me importaba en la vida. Sucedió tan deprisa, que cuando me quise dar cuenta ya estaba enganchado a ella y mi mente comenzó a hipnotizarse y empecé a olvidar a todo el mundo, incluso a lo más preciado, a ti...

Todavía no me puedo creer lo asesina que es la droga. Cómo me aisló del mundo, de la sociedad y me metió en un gueto. Estaba ciego y creía que lo que estaba haciendo era lo mejor para mi existencia.

Me ha costado mucho salir del presidio de la droga. Las cadenas eran fuertes y consistentes y abrirlas ha sido un duro trabajo para mí y para mi amigo Juan.

Hemos luchado hasta la extenuación, pero al final toda esta cruzada y lucha perpetua ha llegado a su fin. Doblegada y vencida se ha rendido a mis pies. Tengo que estar alerta, las recaídas son peores que la propia muerte, pero mi cerebro ha vuelto a salir de la oscuridad y ahora sé realmente lo que deseo y quiero de verdad. Prefiero recordarte como antes de todo este calvario que he pasado por querer morirme de amor.

Me he visto tirado en el parque de nuestro amor, buscando comida o cualquier cosa que me sirviera para drogarme en los contenedores de basura. Dormía en nuestro banco debajo de cartones con muchos escalofríos que no me dejaban ver más allá de buscar la droga que me los quitara.

Esa era mi mísera realidad día tras día. Es lo único que producía mi ser. Una sucia y asquerosa vida. Solo tenía ganas de morir y así descansar de ti y del chute diario. Un buen día apareció Juan y todo cambió. Fue una sensación extraña y dulce a la vez. No podía imaginar que él me buscara para llevarme de nuevo a casa. Le abracé y no podía dejar de llorar. Mis lágrimas caían por mis mejillas esqueléticas y llenaban mi vida de felicidad. No quería separarme de él.

Los dos surcamos nuestros sollozos en forma de finas gotas de lluvia de amistad.

Sonreímos mientras él me decía «Volvamos a casa».

Las primeras noches fueron agotadoras. Me dolía todo el cuerpo. Juan me cuidaba con su paz, sus canciones y sus paños de agua que apaciguaban los golpes brutales de mi adicción, que me quemaba el cuerpo y me derretía por dentro. Estaba putrefacto. Parecía que mi cuerpo se descomponía y mis chillidos de dolor y desesperación ahuyentaban los sonidos de la noche.

Tenía muchas pesadillas. Pensaba que estaba metido dentro de una cueva maldita y jamás saldría de ella. Veía la luz del final y corría y corría hacia ella, pero el esfuerzo era en vano. Nunca alcanzaría la luz y me quedaría en la absoluta oscuridad.

Sofocado y sudoroso despertaba, inquieto y petrificado, pero al ver la cara de Juan dormido en el sofá los fantasmas se ahuyentaban. El mal solo podía atacarme en sueños y tenía que vencerlo. Cogí de nuevo la foto de nuestro amor y limpié el polvo tu cara. Seguías estando bellísima, más aún si cabe de lo que eras en realidad.

Poco a poco el veneno salió de mis venas y por fin mi sangre volvía a fluir por tu amor. Ya no era obsesión, solo un amor que duraría eternamente.

Mi mente y mi corazón habían salido de otra dura prueba y me dediqué a pintar y a escribir lo que sentía mi alma: pasión por un amor perdido.

No sé lo que me va a deparar la vida, ni siquiera sé si volveré a verte. Yo intentaré por mi bien no buscarte, ya no porque tu marido me pegue o quiera matarme, sino porque prefiero no verte y no volver a sufrir más por tu amor. Sé que me quedan muchas cosas que no te he contado en esta carta, pero estoy cansado de escribir y de pensar en ti. Sé que lo primero puedo remediarlo, pero olvidarme de ti se me antoja difícil.

Juan espera que termine esta carta. Se hace tarde, me dice. Una parte de mí se va con estas hojas que se volverán amarillentas al paso del tiempo, pero es lo mejor que puedo hacer, pasar página y vivir la vida hasta que vuelvas a mi lado.

Te amo, ojos de gata, y siempre lo haré.

Cuídate, mi amor, dulces años. Te espero, no tardes...

31

NO PUDE DEJAR DE LLORAR, ERA TAN HERMOSA LA carta que encontré. Cuánto sufrimiento y desdicha, pero también un amor único y duradero, una pasión desmedida y deseada. Me ha dejado sin aliento, y me ha dolido hasta el corazón, es como si hubiera vivido esa historia en mis carnes. ¡Dios, cuánto sufrimiento y melancolía por un amor puro y deseado!

No sabía qué hacer con aquellos papeles. Releí las anotaciones en aquellas páginas cargadas de dulzura, de tristeza, de impotencia y también de deseo por encontrar de nuevo el amor perdido.

Miré hacia el banco donde permanecía aquel hombre, sin hablar con nadie, mirando el árbol de los deseos y acariciando con los dedos su vieja madera. Sería él o quizás perteneciera a la imaginación de algún escritor frustrado. Yo me decantaba más por lo primero, era imposible inventar una historia con tanta pasión y con tanto sufrimiento; no podía haber alguien que pudiera imaginar tanta amargura.

Tenía que hablar con él, pero qué le diría, me acercaría y le diría: «Señor me ha encantado su historia. Me mataría si supiera que he leído su carta de amor, que he profanado el secreto de su amor».

Lo que sí sabía es que todavía sentía un cosquilleo especial, distinto a cualquier otro, por culpa de aquella maravillosa carta de amor, plagada de entrega y de sentimientos clamados a gritos, de deseos frustrados por aquella mujer bella y deseada por aquel hombre. Su amor había pasado las barreras del tiempo, y seguía alimentando el deseo de encontrarla un día en su banco, en su parque, el mismo que vio nacer su amor y destruyó su ilusión por la vida.

La vida se le escapaba, pero él seguía confiando en que algún día llegaría su amor. Eso es lo que le insuflaba fuerzas, lo que le mantenía aún vivo, y luchaba por mantener la ilusión de encontrar al amor de su vida, de poder decirle que lo sentía y hacerla feliz los años que le quedaran.

Me encontraba muy nervioso, me levanté y pasé al lado de aquel hombre tan misterioso y enigmático para mí, me sudaban las manos, y guardé los folios para que no los viera, porque me sentía como un ladrón, había sustraído su precioso legado, y toda la pasión que puso en sus palabras la había usurpado y ya nunca volvería a ser suya. Me sentí mal conmigo mismo, yo odiaba las mentiras, pero no sabía qué hacer... Lo consultaría con mi amor y con mi madre, a ella le encantaban las historias de amor. Con su opinión sabría si devolvérselo a ese hombre, y en todo caso le pediría perdón por sustraerle su preciado tesoro.

Caminé por los lugares mágicos que vivió junto a su amor. Miré cada detalle, cada esencia que encontraba de aquella pasión tan maravillosa. Olí el perfume de las flores cerca del río, y me contagié de su amor por aquella mujer. Revisé las paredes del viejo apeadero, solo me quedaba percibir el aroma de aquel banco... Cuando me di cuenta el hombre misterioso ya no se encontraba en él.

Corrí como si algo me empujara a sentarme en aquel sitio donde surgió tanto amor y luego el odio. Rocé con mis dedos cada palmo de aquella madera, cerré los ojos por unos instantes y percibí el aroma que describió en su carta. Fue algo insólito, pero así ocurrió. Me quedé agotado con tantas emociones, porque era algo fantástico vivir un amor tan intenso, parecía que su pasión hablara. Parecía tan fácil todo aquello, pero sin embargo mi corazón no parecía sentir las mismas sensaciones por mi amada. No creo que llegue nunca a enamorarme como en esas páginas, aunque ya de alguna forma, formarían parte de mi vida.

Me quedé un buen rato sentando en aquel viejo banco, y miré al frente como si pudiera percibir las sensaciones que cada día sintió aquel hombre.

Un presentimiento hizo que me levantara y me dirigiera hacia el árbol del amor, busqué con ahínco los nombres de los enamorados, y después de que los nervios estuvieran a punto de traicionarme, los encontré. Allí estaban perpetuados para la eternidad. Cada letra había sido cuidadosamente tallada y creo que hasta cuidada, y ahí estaban sus nombres: África y Abel, unidos hasta la muerte. Me pudo la emoción y unas lágrimas surcaron mis mejillas. Creo que me emocioné porque fui testigo de un gran amor y me sentí partícipe de él. Porque ya los conocía a fondo, aun sin conocerlos, y éramos como íntimos amigos. Porque todo su pasado formaba parte de mí, aunque a ellos quizás los había perdido para siempre.

Caminé lentamente por el parque, fui en dirección a mi casa, tenía que contarle todo aquello a mi madre y pedirle su consejo, como antes pensé.

En el autobús no paré de releer las sensaciones que me produjeron aquellas páginas. Pensé que sería un sacrilegio que se hubieran quedado perdidas en aquel cofre, porque el mundo tenía que conocer ese grandísimo y puro amor; que la gente supiera que hay personas que siguen amándose con locura, y nada de lo material de este mundo puede superar a la pasión de un enamorado.

Me sentí muy feliz, pero a la vez obsesionado por lo que aquel hombre debió sufrir el resto de sus días, creo que no debió de luchar por un amor que lo repudió, tendría que haber rehecho su vida. Pero siguió al pie del cañón sin desfallecer un solo día, esperando la esencia de su amor perdido. No creo que yo hubiera soportado tanto tiempo sin amar a otra persona, sin más caricias que las perdidas en los recuerdos de un cuadro o algunas fotos. Releyendo en su memoria la carta del sufrimiento día tras día durante tanto tiempo... en cada cumpleaños, solo, sin nadie para darle calor ni abrazarle ni felicitarle, sin recibir la ilusión de un regalo por San Valentín, ni la alegría de la familia por Navidad... Solo de pensarlo me pongo triste. ¡Dios, cuánto habrá sufrido este hombre! Cada palabra que puso en estas páginas le costaría la misma vida.

No puedo dejar de pensar lo injusta que fue África, no le dio a Abel la oportunidad de que la hiciera feliz. Ella sabía que era el hombre de su vida y aun así, prefirió a otro hombre solo por la conveniencia económica. La verdad es que no lo entiendo. Y fue una lástima, porque yo siempre soñé con que existiera una pareja así. Ese amor es el que yo busco junto a mi novia, y espero que la lectura de esta carta, las cosas insignificantes y a las que a veces le damos tanta importancia, las haga desaparecer de nuestras vidas. Un beso en cualquier momento, ponerle una flor en el pelo a mi amada, una caricia ajena al tiempo y al lugar, y sentir el cosquilleo de la pasión encendiéndome, todo eso es lo que voy a buscar con mi novia, y eso me lo ha enseñado Abel en sus bellísimas páginas de amor.

Llegué a mi parada, estaba nervioso y ansioso por contarle el hallazgo a mi familia, esperaba que me ayudaran con sus consejos.

Subí rápidamente las escaleras que llevan a mi casa, deseoso de encontrarme con alguien, grité el nombre de mi madre, pero sólo oí silencio; qué lástima, tendría que esperar a desvelar mi secreto un poco más. Escuché unos pasos al final del pasillo, me acerqué apresuradamente y encontré a mi abuela limpiando su habitación. La besé y le conté todo lo que me había pasado, tenía que desahogarme con alguien y ella siempre me escuchó, y además me daba buenos consejos.

Así que empecé con el relato y con el hallazgo del cofre que contenía aquel tesoro de carta, lo que para mí, dicho sea de paso, no habría dinero en el mundo para pagar. Pues ¿cómo se puede valorar el sufrimiento con dinero? Le conté las sensaciones que a mí me había producido todo aquello y le enseñé la carta, y después proseguí con aquella historia de amor inacabada. Después de un largo rato, mi abuela me pidió el manuscrito. Yo sabía que a ella le interesaría, pues le encantaban las historias de amor. Lo dejé en sus manos y me fui a mi habitación a cambiarme de ropa, porque tenía una cita con mi amada, era el gran día: le declararía mi amor. Y lo haría como nunca pensé que lo haría en la vida. Todo gracias a aquella carta que dejó en mí huella tan profunda, y me dio a conocer el verdadero amor.

Tardé en decidirme por la ropa, porque quería estar lo mejor arreglado para mi niña. Le compraría una rosa y le diría que la quiero y que pasaría el resto de mis días a su lado, si ella me aceptaba.

¡Qué feliz me sentí acicalándome!: me perfumé con el aroma de mi mejor colonia, me peiné con suavidad y fui a la habitación de mi abuela a preguntarle qué le había parecido aquella carta.

Cuando entré en su habitación mi abuela estaba llorando, con la cabeza apoyada en sus rodillas y susurrando unos lamentos que no llegué a distinguir.

—¿Abuela, qué té pasa?

—Nada cariño, que la historia es muy bonita, pero muy triste, me ha gustado mucho, mi niño, gracias por dejármela leer.

—De nada abuela, además la mujer de la historia se llama como tú, eso te habrá impactado más.

—Sí hijo mío, gracias mi vida, gracias por este regalo, ha sido el día más feliz de mi vida.

—Abuela...

—¿Dime, mi niño?

—¿La del dibujo eres tú?

—Sí, ¿por qué?

—Y la pulsera que llevas, ¿desde cuándo la tienes?

En ese momento mi abuela se vino abajo y lloró desconsoladamente. Se abrazó a mí con una fuerza increíble.

—Soy la mujer de la historia, soy yo, cariño mío. A pesar de los años que han pasado no he podido olvidarlo, y ahora al leer esta carta han renacido todos los recuerdos de mi juventud. Aquella época feliz junto al hombre que quise. Y has tenido que encontrarla tú, mi amor, tú has sido el que ha devuelto a esta vieja mujer la esperanza en la vida, gracias mi niño, gracias.

No me lo podía creer, esto no podía estar sucediendo. Mi abuela era África, la mujer que tanto daño y a la vez tanto amor le dio a aquel hombre. El sueño y la pasión encendida de Abel era mi abuela, mi dulce abuela.

No supe cómo reaccionar ni qué decir, estaba como anonadado por todo lo acontecido en un solo día. De encontrar una carta maravillosa, pasé a ser protagonista de ella. Sentí que yo siempre estuve predestinado a encontrar esa carta. Y no había duda que yo sería quien tendría que volverlos a unir. Yo era la llave del amor para Abel, no era otra la cuestión, y todo giraba sobre mí con el peso del Destino acosándome. Yo debía ser el salvador de aquella pasión, pero al mismo tiempo traicionaría la memoria de mi abuelo ya fallecido... La cabeza parecía que me iba a estallar de la confusión que me atormentaba... Y no sabía ni qué hacer ni qué decir.

—Abuela... —dije al fin.

—Dime, hijo mío.

—¿Por qué te casaste con el abuelo?

—No lo sé mi amor, le tenía respeto y cariño, siempre ha sido muy bueno conmigo y jamás tuve queja de él.

—Pero..., tú no estabas enamorada del abuelo, tú querías a Abel, lo amabas y él a ti, él te deseaba, sentía un amor limpio y puro por ti.

—Sí cariño, lo sé, pero en ese momento estaba confundida. Lo odiaba porque me quería tanto que yo no podía satisfacer tanto amor, pero al casarme y ver sus ojos sobre los míos, supe que me había equivocado, que había sido injusta con él, pero nada ni nadie podría quitarme su amor de mi corazón. Y así pasó. Yo quise a tu abuelo a mi manera, pero por las noches, cuando se dormía, yo pensaba en Abel, en sus besos, en sus caricias. Y miraba la pulsera que me regaló, jamás me la quité ni me la pienso quitar, me hace sentir viva, porque así recuerdo su cara, sus gestos, su sonrisa cómplice, su gran amor por mí. Lo amaré el resto de mi vida, y no hay un segundo de cada día en que no piense en él. No sé si estará vivo o muerto, o si estará casado... espero que haya sido feliz, porque sin duda se lo merecía.

—Abuela, él sigue yendo al parque cada día.

—¿Cómo, no es posible?

—Sí abuela, yo paseo mucho por allí. Me encanta andar por aquel lugar, ahora creo que lo he heredado de ti, y siempre hay un hombre a las doce de la mañana sentado en un banco, frente al árbol de los tatuajes.

La cara de África cambió por completo, se sentía viva y eufórica, parecía la muchacha de aquellos tiempos. Volvía a iluminarse su cara tras todos estos años esperando a su gran amor. Y Ahora por fin lo encontraba. Yo pensé por un momento en la cara que pondría aquel hombre cuando volviera a ver a su gran amor acudir a su eterna cita, ¿qué sentiría? Se moriría de felicidad al saber que su amor lo seguía queriendo a pesar del paso de los años. Y seguro que un dulce resplandor volvería a rejuvenecer la cara de aquellos ancianos enamorados, y quizás la juventud retornaría a sus corazones y se besarían como colegiales.

Me sentí feliz sabiendo que un amor puro podría volver a renacer. No me enfadé con mi abuela porque no quisiese a mi abuelo, pues comprendí que el amor que sintió con Abel era imposible de perderlo. La comprendí, y jamás se lo echaría en cara.

—Abuela, de esto ni una palabra a mi madre.

—Sí hijo mío, es mejor, porque tu madre no lo comprendería, y se enfadaría conmigo por no haber querido a su padre como he querido a ese hombre. Quise a tu abuelo, pero no como a Abel, tú me comprendes, ¿verdad mi amor, verdad que sí?

—Claro abuela, si no hubiera leído esta historia de amor, te hubiera odiado por no amar a mi abuelo, pero después de leer las confesiones de Abel, no puedo reprocharte nada, porque sus palabras llegarían al corazón de cualquiera.

—Gracias amor mío por ser de esa manera con esta pobre vieja, ¿vendrás mañana al parque conmigo?

—Claro abuela, estaré a tu lado, para mí es un honor y un privilegio saber que dos personas se aman de verdad, gracias a vosotros he descubierto como hay que amar.

—Gracias a ti, mi amor, porque sin ti jamás podría pedirle perdón a ese hombre, se merece una explicación, aunque llegue cuarenta años más tarde, pero se la daré y moriré en paz. Si no quiere saber nada de mí lo comprenderé, pero si sigue cumpliendo su promesa y esperándome cada día en el mismo sitio y a la misma hora, se la debo.

Me sentí muy feliz, pues pensé en lo afortunado que fui cuando encontré aquel cofre; o quizás el Destino me eligió para que yo fuera testigo de esa gran pasión. Yo sería el eslabón que uniría a ese amor, separado tantos años.

Mi abuela me enseñó una foto de cuando fueron felices. Estaban en la playa, donde tanto pasearon su amor, y los ojos de gata brillaban como contó Abel en su carta. Mi abuela se debería sentir viva de nuevo, porque los recuerdos del pasado la hacían rejuvenecer.

Los sueños perdidos volverían a encontrarse, a unirse en torno al parque que vio nacer su amor. Yo deseaba que pasaran las horas lo antes posible. En ese momento solo pensaba en mi abuela y en su gran amor. Telefoneé a mi novia y le conté lo sucedido. Al poco tiempo llegó a mi casa queriendo que se lo detallara todo, y ansiosa por leer la carta. Se quedó perpleja y anonadada cuando la leyó. Todo el que la leía sentía el embrujo de la pasión escondida. Pasamos la tarde con mi abuela, y nos contó las historias de su amor del pasado y también del presente que le gustaría vivir.

En un momento de la tarde apareció mi madre, nuestra charla se silenció, porque yo sabía que ella no lo entendería y juzgaría mal a África y a su amor callado. Así que juramos que jamás le contaríamos nada sobre la carta. Creo que fue lo mejor, aunque me hubiese gustado que conociera ese gran amor que condicionó siempre a su madre.

Mi abuela estaba nerviosa, le parecía que nunca llegaría el momento de volver a Abel. Yo me sentí cómplice de su emoción, porque pensé que el amor había triunfado por encima de todo.

La pasión por mi novia me llevó hasta el árbol donde África y Abel un día se juraron amor eterno. Generación tras generación grababa sus nombres en señal de amor, proclamando a los cuatro vientos que se amaban el uno al otro.

Me fui a la cama algo excitado. ¿Qué pensaría mi abuela en aquellos momentos, qué sentiría su viejo corazón? Seguro que la chispa del amor lo había rejuvenecido por completo. Aquella noche no dormiríamos ninguno de los dos. La cabeza no dejaría de darle vueltas a circunstancias tan bellas, porque todos estos años que pasaron el uno sin el otro, ahora mi abuela recordaría cada frase de la carta. Cómo se arrepentiría de todo el daño que le había causado. Creo que dormiría tocándose la pulsera y soñaría con alcanzar su perdón. Pero seguro que Abel la seguiría amando y ya la habría perdonado de antemano, porque siempre la quiso.

No podía dormir y me fui al salón para despejarme viendo la tele, y allí estaba mi abuela asomada al balcón mirando las estrellas. Sucumbiendo al influjo de la luna, porque quizás su amor la observaba y ella lo intuía, porque Abel cada noche lloró mirando al cielo estrellado y recordando cada beso de su amada, y cada caricia de su único gran amor.

La besé y me abrazó emocionada, y los dos miramos a una insinuante luna, cada uno añorando a nuestro amor. Fue algo mágico aquel momento, me sentí hechizado por la felicidad que gestaba mi abuela. Y ella estaba sucumbiendo a la sensualidad que la carta despertó en su viejo corazón, porque su rostro brillaba como las estrellas y la mirada la tenía perdida en algún punto donde quizás estuviera Abel.

¡Todo era tan hermoso! Las mejillas de mi abuela se bañaban en lágrimas pensando en su gran amor. Yo sé que sufriría y la comprendía, porque se había tragado muchos años de silencio y de arrepentimiento, y ella también era humana, aunque cometiera un terrible error... pero al día siguiente podría recuperar el tiempo perdido junto a su amor.

Mi abuela sonreía mirando las estrellas. Me hablaba de cada una, como si fueran amigas suyas, y seguía soñando con las noches mágicas que pasó con Abel en la playa. La brisa del atardecer y la fina arena le recordaban el amor que se perpetuó en sus corazones.

Sus años de juventud volvieron de la mano de la estrella fugaz que cruzó el cielo. Y mi abuela me acariciaba el pelo a cada momento y me besaba, mientras me daba las gracias por concederle aquella noche tan maravillosa.

Mi abuela no parecía la misma, había cambiado radicalmente desde que leyó la carta. Nunca creí que con su edad se pudiera estar tan enamorada, pero desde entonces sé que el amor no tiene edad, ni hay barreras, ni distancias: si amas de verdad, no habrá nada que te lo impida.

Ella suspiraba a cada instante. Si pudiera hubiese empujado el tiempo para que pasase aquella noche de una vez... Solo parecía anhelar los labios de Abel y volver a sentirse vida. Seguro que eso era lo que deseaba con todas sus fuerzas... desde siempre.

Mientras tarareaba canciones del pasado, su corazón vibraba emocionado. Eran melodías que los dos hicieron suyas y que mi abuela nunca olvidó.

Aquella noche soñaría despierta..., ¿cómo empezar después de tantos años? Por mucho que ensayara, en el momento de la verdad la mente se le quedaría en blanco y solo la pasión daría el paso adelante.

Cerré los ojos y me dejé llevar por la voluptuosidad de los sueños...

32

EL CANTO DE LOS PÁJAROS ME DESPERTÓ ALEGREMEN-
te, porque por fin amaneció el día tan deseado. Se
acercaba la hora de la verdad y yo me sentía nervioso. Aunque mi nana ya llevaría lo suyo, pero sería algo
especial, quizás... como el día de su boda. Y volvería a ver
los ojos que la enamoraron para siempre, y sentiría el roce
de su piel, y se sentiría de nuevo como en un solo ser, y
volvería la magia a aquel parque que estuvo desolado y hundido sin el amor.

Fui a la habitación de mi abuela y me quedé perplejo
cuando la vi, pues estaba bellísima, hermosa, radiante, no
era la misma, seguro que el embrujo de la carta la había
transformado en una princesa de cuento de hadas.

No pude gesticular palabra alguna, ella me sonrió y
me puso su dedo en la boca. El silencio sería nuestro alia-
do. Ella se veía feliz, muy feliz... Por fin se haría justicia y
el amor triunfaría en su vida.

Nos dimos la mano y bajamos a la calle. Los rayos de
sol hacían aún más hermosa a mi abuela. El brillo de sus

ojos proyectaba una luz que la rejuvenecía. A mí me pareció mi abuela como una flor en primavera, y una diosa que derramaba amor y pasión. Estaba radiante, hechizaba a cualquier hombre que la mirara, había dejado de ser una dulce anciana, para convertirse en una joven enamorada.

Me sentí muy feliz y también importante. Los dos reíamos en el autobús, bromeábamos sobre lo complicada que es la vida y lo fácil que se presentaba en algunos momentos.

Por fin llegamos al parque. Noté que sus piernas le temblaban, parecía la novia que se había apeado del coche nupcial. Hicimos el camino juntos, la veía nerviosa, su cara se tornó fría y dubitativa, le temblaron las manos, se sentía de nuevo vestida de blanco y mirando al altar buscando al amor de su vida. Era como si se repitiera la boda, pero con el hombre que ella amaba. Por fin se cumpliría su deseo: el de no morir sin volverlo a ver. Todavía era temprano y se sintió con fuerzas para pasear por aquel lugar que tanto la hacía suspirar. Llegamos al árbol y rozó con sus dedos su nombre tatuado, y luego se sentó en el banco donde tantas veces se besaron. Y empezó a llorar de emoción, como si tuviera un nudo en la garganta. Después reanudamos el paseo y llegamos hasta el viejo apeadero del tren. Se recostó en la pared, recordó su primer beso y cerró los ojos. Se sintió de nuevo viva. Yo miraba al banco donde se juraron amor eterno, pero seguía vacío... ¿Y si ese hombre no fuera él? No quise pensarlo ni por un momento más, eso mataría a mi abuela y a mí me destrozaría el corazón. ¿Cómo pude asegurarle que era él cuando no lo sabía con certeza...? ¿Le había dado falsas esperanzas? Si eso era así, hundiría a África, y era lo último que querría ver en mi vida, que sufriera mi dulce y tierna dama.

Después paseamos por la vera del río, donde conoció a su amor. Sus dedos tocaban la hierba fina que cercaba la orilla. Con su sonrisa iluminaba aquel lugar... Y yo seguía mirando al banco, continuaba vacío y mis temores crecían con todo el amargor para mi corazón.

El reloj marcó las doce y cuarto y no había aparecido aquel misterioso hombre. Sentí que había defraudado a mi abuela. Había sido imprudente y tal vez un bocazas. Mi abuela se resignó y me dijo que ella vendría cada día, quizás ese día le hubiera ocurrido algo malo, aunque no quería pensar que hubiera muerto... Pero si no era así, ¿por qué no estaba allí, él que ningún día faltaba?

Mi abuela fingió una sonrisa mientras caminábamos junto al río para dejar el parque. Yo sabía que ella por dentro estaba destrozada, porque tendría que seguir sufriendo su desamor... ¡y todo por mi culpa! Me sentí hundido y amargado, le había hecho daño a mi abuela y eso no me lo perdonaría jamás. La cogí de la mano y le pedí perdón por haberlo precipitado todo.

—Perdóname abuela, lo siento.

—No tengo nada que perdonarte cariño mío, me has hecho muy feliz, supe lo que Abel sentía y eso ha significado mucho para mí, el Destino es así mi amor, nunca podremos ser felices y así será.

No pude hablar, bajé la cabeza y pensé en lo injusto que es el amor algunas veces, ¿por qué dos personas que se aman no pueden ser felices?

Caminamos lentamente por aquel paraje natural. Era como si mi abuela no quisiera abandonarlo, quizás porque recordaba aquellos años maravillosos.

Cerca de nosotros la silueta de un hombre se proyectó en el camino, me asusté al principio, pero luego recordé la carta y pensé en Abel. Mi abuela no lo había notado, recogía flores de la orilla, y el hombre dibujaba a toda prisa. Mi sonrisa escapó alborotada de los labios, quise gritarle el nombre a mi abuela, pero el hombre puso los dedos en sus labios. Me marché sigilosamente, y aquel hombre se acercó a mi abuela.

África recogía flores hasta que la sombra de un lienzo la asustó, giró su rostro y vio su hermoso dibujo, sonrió al mismo tiempo que unas lágrimas rodaban por sus mejillas.

—¡Por fin te encontré África!

Y se abrazaron en un mar de sollozos y de alegría... Y yo no pude contener mis lágrimas, porque el amor había triunfado.

—Perdóname mi amor, perdóname por favor...

—No hay nada que perdonar, solo deja que te mire, mi amor y dime que nunca te volverás a marchar de mi lado.

—¡Nunca, nunca, nunca más mi vida, quiero morir a tu lado, te amo, te amo...!

Continuaron abrazados, querían recuperar los años que estuvieron separados y todo el tiempo perdido. Era muy hermoso. Los seguí desde la distancia porque no quise interferir en tan bello final. Yo me sentí feliz por haber aportado mi granito de arena para que ahora fueran felices.

Se cogieron de la mano y caminaron junto a la orilla. Lentamente, sin prisas, porque ya estaban de nuevo juntos, y el reloj se había parado para siempre. Volvieron a caminar y se besaron junto a la pared del viejo apeadero.

Sonreían como dos colegiales, porque tenían tantas cosas que contarse. Aunque no les sobrara tiempo, lo único importante era que por fin sus corazones volvían a ser uno solo.

Solamente pude ver el dibujo por un segundo, pero era el mismo que mi abuela tenía guardado en su casa. Siempre fue su tesoro y jamás me dijo quién lo pintó. Solo decía que era un amigo de la juventud... y después soñaba con él todas las noches. Sus ojos de gata volvían a iluminarse. Era maravilloso...

Mi abuela reía a carcajadas y le mostraba su pulsera roída por el paso del tiempo. Tenía cuarenta años y todavía la conservaba. Fue el único vínculo que le quedó, hasta ese día en que volvió a ser feliz.

Sentí ganas de conocer a ese gran hombre que hizo brillar con una luz especial los ojos de mi dama de noche. Seguro que era especial, así lo creo yo, pues con sus confidencias me enseñó un nuevo camino para amar.

Se besaban, una y otra vez, y era realmente hermoso verlos juntos. Me sentí muy afortunado por estar cerca de tanto amor. Me saludaron y yo les correspondí enviándoles un beso. Luego suspiré y en todo mi ser sentí un escalofrío inenarrable.

Continué mi camino feliz y dichoso, iría a buscar a mi amada y pasearía con ella toda la eternidad. Porque quería que supiera cuánto se puede amar en la vida. Yo no cometería el error de mi abuela, y la amaría como Abel amó a África.

En la salida del parque me volví y les vi a lo lejos. Continuaban unidos por sus manos... Me sequé las lágrimas y me adentré en la jungla de asfalto, donde las emociones eran absorbidas por el ruido de los motores y el estrés del género humano.

Todo era distinto desde aquellos instantes, nada volvería a ser igual en nuestras vidas. Una carta escrita con la sangre de la pasión y la esperanza, había transformado nuestras amarguras en esperanza de amor. Y aunque el asfalto me quemaba, solamente tenía que volver la vista atrás y ser feliz con los que lo eran para siempre en el parque.

Tuve la suerte de vivir la historia más bonita de amor que jamás pude soñar. Supe que el Destino caprichoso me eligió a mí para devolverle la felicidad a mi abuela los últimos días de su vida, pero junto a su eterno amor. No pude dejar de llorar, y mi cuerpo vibraba de felicidad por haber terminado con aquella injusticia que duró cuarenta años.

Suspiré porque la reja del parque ya quedaba lejos de mí. Y no pude contemplar cómo el brillo del sol se perpetuaba en el viejo banco, cobijando con su luz y su calor a aquella pareja de eternos enamorados.

Caminé dichoso y satisfecho porque todo salió como nunca hubiera imaginado. La diosa Fortuna se alió con el amor eterno. Seguí por el sendero hacia mi tesoro y miré al cielo, buscando la armonía y la sensualidad que adornaba la paz y al amor.

Todo era bello, todo era felicidad, y un nuevo suspiro inundó el camino de pasión...

Sigo paseando con mi amada por el viejo parque que sigue vacío, como si no existiera para el resto de las parejas, excepto para ellos que cada día acuden a su banco a la misma hora y continúan amándose como si fuera el último día de sus vidas.

La brisa del río inunda aquel lugar de magia y sensibilidad. Acaricio con mis dedos nuestros nombres grabados en el viejo árbol, y miro el de mi abuela, tan cerca y tan lejos en el tiempo. Ella me saluda, me lanza un beso con sus manos, me guiña un ojo y susurra un suave «Gracias»; yo les sonrío y les saludo, nuestro secreto sigue a salvo, en el viejo apeadero cerca del río, junto al banco del amor... Los sueños perdidos se han difuminado.

Las lágrimas de soledad han desaparecido después de cuarenta años...

Los ojos de gata por fin tienen su brillo especial.

De lejos diviso las siluetas de los enamorados. Agarrados de la mano caminan sobre el amor eterno. ¡Hermosa escena! ¿Verdad?

En un momento del paseo los veo pararse. Sus labios se funden en un solo.

No dejo de llorar. Es una escena hermosa, muy hermosa.

Gracias, susurro, sabiendo que ellos no me escuchan. Camino cabizbajo, suspirando por un amor encontrado. Vuelvo la mirada y las sombras de las acacias cobijan el amor de los enamorados...

Suspiro de nuevo y sonrío. El amor ha triunfado. Los ojos de gata siguen hechizando a su amor eterno.

Las manos entrelazadas siguen el sendero del amor...

www.manueljesussorianopinzon.com

http://clubdefansmanueljesus.spaces.live.com

manueljsorianopinzon@yahoo.es

http://www.myspace.com/manueljesussorianopinzon

http://manueljesussorianopinzon.spaces.live.com